OPENBARE BIBLIOTHEEK
INDISCHE BUURT
Soerabajastraat 4
1095 GP AMSTERDAM
Tel. 668 15 65

De wraak van de meesterdief

Voor Maartje en Rik, eindelijk

Andere boeken van Thijs Goverde:

De purperen koningsmantel
De zwijnenkoning
Het teken van de heksenjagers
De ongelofelijke Leonardo
Het witte eiland
Het bloed van de verraders

Meer informatie: www.uitgeverijholland.nl

Thijs Goverde

De wraak van de meesterdief

Uitgeverij Holland – Haarlem

Illustraties en vormgeving: Elly Hees

Alle rechten voorbehouden. Niets uit deze uitgave mag worden verveelvoudigd, opgeslagen in een geautomatiseerd gegevensbestand, of openbaar gemaakt, in enige vorm of op enige wijze, hetzij elektronisch, mechanisch, door fotokopieën, opnamen, of enige andere manier, zonder voorafgaande schriftelijke toestemming van de uitgever.

© Uitgeverij Holland – Haarlem, 2006
ISBN 90 251 1003 7 / 978 90 251 1003 1
NUR 283

I *eerste hoofdstuk* **waarin ik, nog voor mijn geboorte, het onderwerp van een ruzie word**

Kun je je een stad voorstellen? Een grote stad? Een echt heel, heel, HEEL grote stad? Ik bedoel: in Amsterdam wonen minder dan één miljoen mensen. In Istanboel - meer dan vijf miljoen. Bombay: meer dan elf miljoen. Mexico-Stad: meer dan zestien miljoen. Zestien miljoen!

Dat lijkt misschien veel, maar het is niet meer dan een dorp vergeleken met de stad waar ik geboren ben. Die stad heet Duim en ze is zo groot, dat het in de noordelijke wijken altijd vriest, terwijl de parken in het zuiden gloeiend hete woestijnen zijn. Niemand weet precies hoeveel mensen er wonen, maar Bombay past er minstens twintig keer in. Het is een krankzinnige, krioelende, wriemelende mensenmassa, een gistende, borrelende zwerm van menigtes, zo talloos dat we een keizer hebben in plaats van een burgemeester. En de wijken hebben hertogen en baronnen. De parken in Duim zijn zo uitgestrekt dat je erin kunt verdwalen en dan word je nooit meer teruggevonden. De meeste parken zijn alleen aan de rand netjes bijgehouden; van binnen zijn ze zo verwilderd als oerwouden en er gaan zelfs verhalen over onbeschaafde stammen in de binnenlanden, die nooit ontdekt zijn. In sommige zomernachten horen de mensen die in de buurt van het park wonen in de verte het geroffel van geheimzinnige tamtams.
De havens van Duim zijn zo gigantisch onafzienbaar dat er kapiteins zijn die nooit het zeegat uitvaren; in plaats daarvan beginnen ze een veerdienst of een handelsonderneming in de haven zelf. Ze brengen bijvoorbeeld matrozen van pier 7, in het noorden, naar pier 2498 in het zuiden - een bootreis van twee volle dagen. Of ze kopen kabeltouw aan het begin van pier 315, waar een touwslagerij staat, en ze verkopen het met veel winst aan het eind van diezelfde pier, waar de zeilboten liggen te wachten tot ze uit kunnen varen.
Ik wil maar zeggen: Duim is een hele grote stad.
Deze ongelooflijke opeenstapeling van huizen ligt op het meest westelijke schiereiland van een werelddeel dat Hand heet. Er zijn nog vier andere schiereilanden daar (Pink,

Ringvinger, Middelvinger en Wijsvinger) maar die zijn niet zo dicht bevolkt. Daar wonen boeren, vissers, ambachtslui enzovoort.
Het werelddeel Hand bestaat werkelijk: zoek het maar op in je atlas. Mocht het er niet in staan, dan zul je bij je ouders moeten zeuren om een betere atlas. Natuurlijk is het 't beste om die atlas maar in de kast te laten en mij op m'n woord te geloven.

Terzijde

Dat in de meeste atlassen Hand niet vermeld staat,
komt doordat het zo ver weg ligt dat de moderne
techniek er nog niet is doorgedrongen.
Er zijn op Hand geen treinen, auto's of computers;
met het vliegtuig kun je er niet heen;
op satellietfoto's is het niet te zien.
De meeste atlassen zijn gemaakt met behulp
van satellietfoto's, en kunnen je dus niets melden
over Hand of Duim.

Ik ga je het verhaal van mijn leven vertellen, en dat is het meest merkwaardige verhaal dat je verzinnen kunt. Vol wonderlijke toevalligheden. En buitengewone heldenmoed. En ongehoorde achterbaksheid.
Als je daar niet in wilt geloven, sla dan het hele boek maar dicht. Want wie mij niet wil geloven, kan mijn vriend niet zijn. En alleen aan mijn vrienden vertel ik het verhaal van mijn leven.

Dat leven begon zeventig jaren geleden in een van de arme wijken in het midden van Duim. Ik was niet van rijke of belangrijke familie; toch was het al vanaf mijn geboorte duidelijk dat ik een buitengewoon iemand zou worden. Mijn geboorte was zo bijzonder, dat ze regelrecht uit een sprookje lijkt te komen. Als ik er niet bij was geweest, zou ik het zelf niet geloven.

Dit is wat er gebeurde.

Mijn vader was een handelaar in vogeltjes. Overal in huis stonden kooien. Ze hingen aan het plafond, zaten tegen de muur gespijkerd, stonden op de vloer, naast en op en onder de tafels en stoelen en kasten en het bed. Waar geen kooien stonden, lagen zware zakken zangzaad.

Al met al was er dus weinig ruimte over voor mijn moeder.

Die vroeg klagend: 'Hoe moet dat nou, als we straks een kindje krijgen? Waar moet zijn wiegje staan?'

'Zeur me niet over een kindje,' bromde mijn vader. 'Ik wil helemaal geen kindje. Kinderen zijn lelijk en laag-bij-degronds. Ze zingen niet, ze fluiten niet, ze tjilpen niet eens. Ze zijn saai van kleur. Ze kunnen niet vliegen.'

'Nee,' zei mijn moeder schamper, 'die vogels van jou, dat zijn hoogvliegers. Die kunnen heus niet verder vliegen dan hun kooi lang is.'

Mijn vader begon te huilen, want ook al gedroeg hij zich nors en hardvochtig, hij had werkelijk een gevoelig hart en hij vond het heel erg dat hij al zijn vogels in kooitjes moest houden. Maar een keus had hij niet, want een vogel die wegvliegt kun je niet meer verkopen. Hij snikte: 'Wat ben jij gemeen, Luscinia! Je weet best hoe zielig ik het vind voor die arme diertjes.'

Terzijde

Luscinia is een ouderwets woord voor Nachtegaal.
Dit is de enige reden dat mijn vader met mijn moeder
is getrouwd - omdat hij haar naam zo mooi vond.
Hij hield echt heel veel van haar,
maar vooral om haar naam. Zelf heette hij trouwens
Mergus en dat is weer een ouderwets woord voor Zaagbek.

'Je bent zelf gemeen,' siste mijn moeder. 'Ik wil een kindje, en liever vandaag dan morgen.'
'Niks ervan. Wat niet uit een ei komt, wil ik niet in mijn huis. En ik ben hier de baas.'
Oh, dacht mijn moeder, zit dat zo? Ben jij hier de baas? Nou, we zullen wel eens zien wie hier z'n zin krijgt. Onmiddellijk begon ze te broeden op een plan. Och, het was zo'n eenvoudig plan! Ten eerste besloot ze om tóch een baby te krijgen. Dikker en dikker werd haar buik. Mergus keek er wantrouwend naar.
'Wat zit er in die buik van jou? Toch niet zo'n lelijk, roze, niet-zingend, niet-vliegend...'
'Baby'tje? Nee hoor liefje, wees maar niet bang,' glimlachte mijn moeder, en ze ging wandelen in de stad. Wandelen - ja, dat dacht je! Ze ging stiekem op pad voor haar plan. Ze bracht een bezoek aan haar oom, die beeldhouwer was. Geheimzinnig om zich heen loerend sloop ze zijn werkplaats in en ze fluisterde hem in het oor wat ze wilde.
'Oh,' zei haar oom, 'is dat alles? Dat zal wel lukken, denk ik.' En hij ging aan het werk.

Een tijdje later was de buik op z'n allerdikst. Zo dik, dat mijn moeder nauwelijks meer kon lopen. Vandaag komt mijn kindje, dacht ze. Bij het ontbijt keek ze mijn vader aan met grote, onschuldige ogen en zei: 'Ik heb toch zó raar gedroomd vannacht!'

Wie grote, onschuldige ogen opzet als hij iets zegt,
zit te liegen. Zulke mensen moet je nooit geloven.
Ik heb eens een meisje ontmoet,
dat elke dag de hele dag zulke ogen had.
Dat kwam omdat ze echt onschuldig wás;
ze wist niet eens wat liegen was.
Maar niemand vertrouwde haar, vanwege die ogen.
Ze had een droevig, eenzaam leven. Gelukkig kwam ze een
man tegen die nooit iemand vertrouwde, wat voor ogen ze ook
hadden. Voor hem maakten haar ogen geen verschil.
Ze trouwden en werden heel gelukkig.

'Gedroomd? Wat kan mij dat schelen?' gromde mijn vader.

'Ik droomde van een vogel, een prachtige vogel met wel duizend verschillende kleuren,' begon Luscinia, en mijn vader zat meteen rechtop.

'Och,' vertelde mijn moeder, 'die vogel floot toch zo prachtig! Ik kreeg er tranen van in mijn ogen. Het leek wel of hij woorden floot: "Ik zit bij baron Falco in de tuin! In de tuin, in de tuin! De tuin van de baron!" Wat zou dat nu toch kunnen betekenen, mijn lieve Mergus?'

Mergus was al opgesprongen van tafel. 'Wat dat betekent?' juichte hij. 'Dat lijkt me wel duidelijk! Er zit een prachtige vogel in de tuin van de baron, dat betekent het. En ik ga hem vangen!' Koortsachtig zocht hij zijn spullen bij elkaar. Zijn vangnetten en lijmstokken en striktouwen en lokfluitjes en verrekijkers en kooitjes, en alles wat je verder nodig hebt om vogels te vangen. Zonder zijn jas aan te trekken stormde hij naar buiten. Hij rende en rende, door sloppen en stegen, door straten en lanen, over pleinen en promenades. Twee volle uren rende hij, tot hij bij het paleis van de baron kwam. Daar klom hij stiekem over de muur, en over een hek, en nog een muur, en toen stond hij in de tuin. Het was een heel grote tuin, met een bos erin en een klein riviertje in plaats van een vijver. Mergus zocht in iedere boom en iedere struik. Hij vond mussen en mezen, merels en mandarijneendjes, en zelfs een verdwaalde breedbekstrandloper, maar de mooie vogel vond hij niet.
Natuurlijk niet. Mijn moeder had die droomvogel bedacht om te zorgen dat Mergus een tijdje het huis uit ging. Want dat was nodig voor haar plan.
Teleurgesteld slofte Mergus 's avonds naar huis.
Daar zat mijn moeder op hem te wachten. Met een dolgelukkig, dromerig hoofd zat ze naast een wiegje. Haar buik was plat.
'Lieve, lieve Mergus,' fluisterde ze. 'Er is een wonder gebeurd. Moet je kijken, hier in het wiegje! Je zult het niet geloven, Mergus!'
Mijn vader boog zich over het wiegje. En hij zag - inderdaad: iets ongelooflijks.

2 *tweede hoofdstuk* **waarin ik geboren word**

In het wiegje lag een ei. Een reusachtig ei, glad en dof en wit. Met grijze spikkels.
'Lieve help, Luscinia,' riep mijn vader. 'Zo'n ei heb ik nog nooit gezien! Wat voor 'n vogel heeft dit gelegd?'
'Geen enkele vogel,' zei mijn moeder kalm. 'Ik heb het zelf gedaan.'

'J... jij?' Mergus zakte bijna door z'n benen van verbazing. 'Dat kan toch niet? Mensenvrouwen kunnen geen eieren leggen!'
'Behalve ik,' sprak mijn moeder beslist. Ze knipperde met haar grote, onschuldige ogen, begon te blozen en zei: 'Ik kan het onmogelijke doen, omdat ik zoveel van je hou.'
'Tja,' peinsde mijn vader. 'Ik ben ook een heel bijzondere man. Ik ben mooi en slim en aardig, ik zit vol grappen en plannen - veel meer dan andere mannen. Dus je houdt natuurlijk heel veel van mij. Zoveel, dat je het onmogelijke kunt. Ja, dat is eigenlijk heel normaal.'

Sommige mensen denken dat vrouwen ijdel zijn.
Omdat die zo vaak in de spiegel kijken.
Maar mannen zijn veel ijdeler. Want diep in hun hart
denken zij dat ze geen spiegel nodig hebben, omdat ze toch wel
de mooiste zijn. Mergus was helemaal geen bijzondere man,
hij was lelijk en dom en onvriendelijk en hij kon geen grap
of plan bedenken. Het was mijn moeder,
die mooi en slim enzovoorts was. Ik lijk veel op haar.

'Kom,' zei mijn moeder, 'laten we het ei openmaken.'
'Openmaken? Ben je belazerd? Dat moet je nooit, nooit, nooit doen! Het kuikentje moet zelf naar buiten komen, anders... ik bedoel... jij bent natuurlijk geen vogel, dus... ik weet eigenlijk niet of er wel een kuikentje in zit...'
'Precies,' zei mijn moeder, en ze brak de eierschaal open.

'Krijg nou wat,' stamelde mijn vader. 'Er zit een baby in dat ei!'
'Ja,' zei mijn moeder, 'wie had dat gedacht,' en ze glimlachte stilletjes. Want het was geen echt ei, maar een gipsen ei. Gemaakt door haar oom, de beeldhouwer, in twee helften die vlug vlug om het baby'tje heen waren gesloten en dichtgeplakt. In de grijze spikkels zàten luchtgaatjes, kunstig verborgen, zodat het kindje adem kon halen.
En het kindje, dat was ik.
Zo komt het, dat ik twee keer geboren ben. De eerste keer uit de buik van mijn moeder, terwijl mijn vader door de tuin van de baron sloop, op zoek naar de verzonnen vogel. En de tweede keer uit een ei. Niet meer dan een gipsen nep-ei, maar toch... geen enkel ander mens is ooit uit een ei gekomen. Ik ben dus al sinds mijn geboorte een heel bijzonder iemand. Had mijn vader dat nou maar begrepen! Dan had hij mij de opvoeding kunnen geven die ik nodig had. Een opvoeding, geschikt voor een baron. Of een keizer. Maar mijn vader dacht alleen maar aan eieren. En vogels.
'Luscinia,' zei hij, 'dit kind is voorbestemd om te vliegen.'
Oh help, dacht Luscinia, straks gooit die idioot mijn kindje het raam uit, om te zien of het wegfladdert.
Maar dat deed mijn vader niet.
Integendeel, hij omringde mij met alle mogelijke zorgen.
Hij plukte van zijn liefste vogeltjes voorzichtig de allerzachtste veertjes af, om een donsbedje voor me te maken; hij gaf me de meest uitgelezen eieren te eten en later braadde hij zelfs elke dag een van zijn bloedeigen vogels voor mij (hoewel hij ook vaak probeerde mij zangzaad en wormen te voeren, als mijn moeder niet keek). Hij liet mij door zijn beste nachtegaal in slaap zingen.
Ook mijn moeder deed alles voor mij. Ze speelde de hele

dag met me, vertelde allerlei verhalen en leerde me alles wat ze wist over de wereld. Ondertussen naaide ze de mooiste kleertjes die je je maar denken kunt. Zo groeide ik op als een gelukkig, slim, mooi en vrolijk kind. Zodra ik kon lopen dribbelde ik aan de hand van mijn moeder door de straten, en alle mensen riepen: 'Wat een schattig kindje!'
Alle buren uit onze straat waren vogelhandelaars, net als mijn vader. Ze waren dol op mij, omdat ik uit een ei gekomen was. Allemaal zeiden ze tegen hun vrouwen: 'Waarom leg jij niet zo'n ei?'
Dat konden die arme buurvrouwen niet. Natuurlijk niet.
'Oh nee?' vroegen hun mannen op hoge toon. 'Waarom niet? Hou je soms niet genoeg van me? Minder dan Luscinia van *haar* man houdt?'
Zo kwam er overal in de straat ruzie, vreselijke ruzie met schelden en krabben en slaan. Met gesmijt met borden en schoteltjes. Met bittere tranen en boos gezwijg. Om kort te gaan, alle buurvrouwen verhuisden, omdat ze niet langer bij hun mannen wilden wonen.

Zo werd, doordat mijn moeder haar zin kreeg, uiteindelijk een hele straat diep ongelukkig.
Hier zien we de verschrikkelijke gevolgen van het liegen.
Vanwege dit verhaal heb ik plechtig gezworen dat ik nooit of te nimmer één leugen zou vertellen.
Aan die belofte heb ik mij altijd gehouden, met een of twee kleine uitzonderingen.

De enige buurvrouw die bleef, woonde links van ons. Ze heette Tringa en ze was al bijna tachtig. Haar man, Totanus, begreep wel dat zij veel te oud was om eieren te leggen en hij bleef gewoon van haar houden.
Verder waren alle vrouwen weg. En een straat zonder vrouwen is een straat zonder kinderen, dus ik was het enige kind dat er rondliep. Ik had geen speelkameraadjes. Dat was jammer, maar zo heel erg vond ik het niet. Want ik werd door alle buurmannen vertroeteld, alsof ik hun eigen kind was. Ze aaiden me over mijn bol en gaven me snoepjes. Het liefst wilden ze me heel de dag knuffelen en kietelen, maar dat mochten ze alleen als ze me bijzonder lekkere snoepjes gaven. En dan nog maar kort.
De enigen die mij altijd mochten oppakken waren mijn ouders en de oude Tringa.
Tringa was de beste kokkin van de buurt. Haar keuken was altijd heerlijk warm, en het rook er verrukkelijk. Ze kon stoofschotels maken waarvan alleen de geur al genoeg was om je een hele dag te voeden. Ze maakte soepen die zo lekker waren dat je er bijna van flauwviel. Als ze brood bakte werd de korst zo knapperig, dat hij wel van staal leek. Wie in zo'n korst beet, dacht eerst even: hier kom ik met mijn tanden niet doorheen. Maar juist als je het op wilde geven, brak de korst met een zalig gekraak, je tanden zonken weg in het boterzachte binnenste, en de geur van warm vers brood kronkelde je neus in en vulde je hele hoofd.
Het allerbeste was haar pudding. De pudding die later beroemd is geworden als het Duivelse Bosbessen Genot. Meesterkoks uit de hele stad kwamen naar haar toe, soms van honderden mijlen ver, om Tringa te smeken om het geheim van die pudding. Maar ze vertelde het aan niemand. Behalve aan mij.

Ze was verzot op kinderen, en ik was het enige kind in de buurt. Daarom leerde ze mij het recept. En ze liet mij net zolang oefenen, tot ik hem in mijn eentje kon maken. Eigenlijk was ik veel te jong om al met vlijmscherpe messen en gloeiende ovens aan de gang te gaan. Ik was pas drie. Daarom mocht ik nooit de pudding in de oven doen, of de klonten boter klein snijden. Maar op een dag, toen Tringa met mij aan het oefenen was, kwam er een buurman aan de deur, die haar vroeg hoe je precies moest afwassen.

De vrouw van deze buurman was nog maar kort geleden weggelopen, en hij had nog niet één keer de afwas gedaan. Hij had zijn borden en pannen steeds opnieuw gebruikt, terwijl ze viezer en viezer werden, tot hij ze op 't laatst zelf niet meer aan durfde te raken.

'Ik kom wel even mee,' zei Tringa, die net op dat moment de boter aan 't snijden was. 'Nergens aankomen hoor,' waarschuwde ze mij. Maar ik kon niet wachten op die heerlijke pudding. Wachten had ik nooit geleerd, want ik kreeg altijd meteen wat ik vroeg. Dus ik besloot de boter dan maar zelf te snijden, en ik pakte de blinkende, vlijmscherpe messen. Boter was heel zacht, merkte ik. Je snijdt er zó doorheen. Sneller en sneller liet ik de messen door de boter schieten. Veel vaker en veel harder dan nodig was, zoveel plezier had ik erin.
En plotseling: tjak! Pijn! Allebei mijn pinken eraf. Ik begon te brullen, harder dan ooit een kind gehuild heeft. Totanus

kwam zijn winkel uitgerend en bracht me naar het ziekenhuis. Daar maakten ze de wonden dicht, zodat ik niet dood zou bloeden. Maar mijn pinken, die was ik kwijt.
Daarna was ik altijd erg voorzichtig.
Ik bleek maar weinig talent te hebben voor het koken. Gelukkig had Tringa een engelengeduld, en we oefenden en oefenden tot ik met mijn ogen dicht en één hand op mijn rug die meesterlijke pudding kon maken. De pudding waar alle meesterkoks jaloers op waren.
Dit is maar één van de talloze voorbeelden die ik zou kunnen geven van de verwennerij die ik vanaf mijn geboorte had meegemaakt.

Eigenlijk mag je kinderen niet verwennen.
Daar worden ze hebberig van, zelfzuchtig en arrogant.
Zelf heb ik gelukkig een uitstekend karakter, maar ik ben een uitzondering. En ook voor mij pakte die verwennerij rampzalig uit, zoals we zullen zien.

Ik was het volkomen gewend dat mensen mij oppakten, knuffelden en snoepjes gaven. Dus ik vond het niet vreemd dat er, op een dag vlak voor mijn vierde verjaardag, een man naar me toe kwam gelopen terwijl ik op straat aan het spelen was. Het was een vriendelijke man, met keurige kleren en een vrolijke glimlach. In zijn hand hield hij een stuk chocola, en hij wenkte me gezellig dichterbij.

3 *derde hoofdstuk* **waarin ik gestolen word**

Oh, chocola! Dat was mijn favoriete snoepgoed, maar ik kreeg het niet vaak want het was duur. Ik overdrijf niet: het stuk chocola dat de vriendelijke man in zijn hand had was, denk ik, het enige stuk dat er te vinden was tussen ons huis en het paleis van baron Falco. Op tien meter afstand rook ik het al. De geur kietelde mijn neus op een heerlijke manier en ik sloot mijn ogen.

Terzijde

De meeste mensen kunnen maar één ding tegelijk.
Het is kijken óf ruiken, wandelen óf nadenken, enzovoort.
Anders raken ze in de war. Daarom doen ze hun ogen dicht
als ze iets willen ruiken en staan ze stil om na te denken.
En daarom houden mensen, die iets lekkers ruiken of zien,
meestal meteen op met nadenken.

Steeds dichterbij rook ik de verrukkelijke geur en uiteindelijk fluisterde een mannenstem in mijn oor: 'Zou jij wel een hapje chocolade lusten?'
Ik deed mijn ogen open en daar stond de vriendelijke man. Hij had werkelijk het aardigste gezicht dat ik ooit had gezien. Een openhartig, vrolijk, goedlachs, goudeerlijk gezicht was het en het keek me aan op die bijzondere manier waarop mensen kijken die maar van één ding gelukkig worden: van het weggeven van chocola, het liefst aan aardige kleuters, zonder er iets voor terug te vragen.
'Zou jij wel een hapje chocolade lusten?' herhaalde de man.
Ik knikte van ja en dat was dom, maar ik was al lang opgehouden met denken. Bovendien was ik het zozeer gewend om van iedereen snoepjes te krijgen dat ik me niet afvroeg waarom een onbekende zijn zalige, zeldzame chocola aan mij zou willen geven.
De man tilde mij op met zijn sterke linkerarm. Daarna brak hij een stukje chocola af en stak het in mijn mond. Gulzig begon ik te kauwen. Het was de zachtste, zoetste, romigste chocola die ik ooit geproefd had. De warme, donkere smaak danste over mijn tong en in mijn buik begon het te gloeien. Opnieuw sloot ik mijn ogen. Meteen viel ik in een diepe,

diepe slaap. Dat kwam door de chocola. Want die was ingesmeerd met een slaapmiddeltje. Dat had de vriendelijke man gedaan.
Het was namelijk helemaal geen vriendelijke man.
Het was een kinderdief.

In een stad zo groot als Duim wonen allerlei soorten dieven. Niet alleen gewone geld- of juwelendieven maar ook kinderdieven, grote-mensen-dieven, honden- en poezendieven, ja zelfs dieven die huizen en bomen stelen - terwijl jij en ik niet eens weten hoe we die dingen van hun plaats kunnen krijgen. De meeste dieven stelen maar één soort ding. Anders raken ze in de war. Maar onder de dieven van Duim wordt al eeuwen gefluisterd dat er ooit, op een dag, een dief zal komen die alles kan stelen. De 'Algapper' wordt die genoemd, of ook wel 'De Universele Dief'.

De vriendelijke man tilde mij op en rende de straat uit. Hij had lange, snelle benen en hij rende maar en rende maar, straat in straat uit, tot hij bij een steegje kwam waar een ezelkar stond te wachten. Hij gooide mij achter in de kar, bedekte mij met een paar dekens, maakte zijn ezel los en ging op de bok zitten. Even keek hij om zich heen of niemand hem gezien had - maar nee. Het was een heel erg donker en verlaten steegje.
'Hup,' zei de vriendelijke man, en de ezel begon te lopen. Klikkerend en klakkerend gingen de hoeven, en knersend en ratelend gingen de wielen, maar ik werd er niet wakker van. Zo sterk was dat slaapmiddel.

Toen ik wakker werd, was om mijn armen en benen een dik touw geknoopt. Ik lag op een smerig matras in een smerige kamer vol smerige kinderen.
Verwonderd keek ik om mij heen. Zoveel smerigheid bij elkaar had ik nog nooit gezien. De kinderen in de kamer waren allemaal ouder dan ik. Ze waren geen van allen vastgebonden en ze gedroegen zich reuze onbehoorlijk: ze kaartten om geld, spuugden op de grond, vloekten, vochten, boerden, kauwden op pruimtabak, fluisterden in gezelschap, ja, het leek wel alsof ze alleen maar onbehoorlijke dingen deden. Alsof ze niet eens andere dingen konden bedenken. Zelfs twee meisjes die in een hoek een potje aan het koken waren, deden dat op een onbehoorlijke manier. Ze niesden in het eten en roerden in de soep met vingers waar ze net nog mee in hun oren hadden gepulkt.
De enige die niet smerig was, en maar een klein beetje onbehoorlijk, was de vriendelijke man. Hij zat aan het hoofdeind van mijn matras te kaarten met een paar jongens.
Een van hen zag dat ik mijn ogen open had en zei: 'Je buit is wakker, Snoet.'
De vriendelijke man, die kennelijk Snoet genoemd werd, draaide zich om en keek me aan.
'Goeienavond, jochie,' zei hij, 'en welkom bij Jynx.'
'Jynx?' vroeg ik.
'Jynx is de Meester,' zei Snoet. 'Ik zal hem vertellen dat je wakker bent.' Hij stond op en beende de kamer uit. De jongens, met wie hij had zitten kaarten, begonnen meteen in zijn kaarten te gluren, muntjes van tafel te graaien, te overleggen en op nog twintig andere manieren vals te spelen.
Ze waren daar net mee klaar, toen Snoet terugkwam. Hij werd gevolgd door een man die zelfs in die smerige kamer nog opviel door zijn ongelooflijke viesheid. Dat was

Jynx, de Meester. Jynx droeg een soort kamerjas die zo vaak en zo slordig was gerepareerd, dat hij uit elkaar zou vallen in honderd verschillende lapjes als die lapjes niet met een dikke laag vettig vuil aan elkaar waren vastgekoekt. Zijn lange, sliertige haren waren met ranzige olie naar achter gekamd. Hij rook zoet, zo zoet als rot fruit, en hij had een schurkensnor.

Terzijde

De 'schurkensnor' is 250 jaar geleden uitgevonden door Willem P. Schurk, die ook de 'schurkenstreek' bedacht heeft. Deze snor is een soort dun, zwart lijntje onderaan de bovenlip. Niemand vertrouwt een man met een schurkensnor. Waarom er toch nog mannen zijn die er zo één laten groeien, is een onverklaarbaar raadsel.

'Ach,' jammerde de onsmakelijke Meester, 'arme, arme ik! Nog een kind om voor te zorgen! Nog een mond die eten moet! Waar moet ik dat allemaal van betalen? Maar goed, maar goed, ik doe het wel. Wees maar niet bang, hoor jongen, ik zal je niet op straat zetten. Ik zal voor je zorgen alsof ik je eigenste vader was.' Hij trok zo'n hartverscheurend zielig gezicht, dat ik werkelijk medelijden met hem kreeg.
'U hoeft niet voor me te zorgen, hoor,' zei ik troostend. 'Als u dit touw losmaakt, dan ga ik onmiddellijk naar huis.'
Jynx begon opnieuw te jammeren, nog klaaglijker dan tevoren. 'Ach!' kreet hij, 'arme ik! Wat een ondankbaarheid wordt er over mij uitgestort! Ik neem een arm straatkind in huis, ik heet hem welkom alsof hij mijn eigen zoon is en wat doet hij? Hij spuugt op mijn gastvrijheid, mijn vrien-

delijkheid, en hij wil meteen weer weg! Waar heb ik dat aan verdiend,' riep hij tegen de kinderen in de kamer, 'waar heb ik dat aan verdiend?'
'U heeft het niet verdiend, Meester,' riepen de kinderen, en: 'Wat een akelig jongetje! Een ondankbaar hondsvot is het! Een smerige brutale bedelaar! U bent te goed voor hem!'
Verbijsterd keek ik om me heen. Waren ze allemaal gek geworden? 'Ik ben geen bedelaar!' riep ik. 'Ik heb nergens om gevraagd. Snoet heeft me gestolen, en...'
Jynx viel op zijn knieën, wrong zijn handen en jammerde: 'Ach! Ach! Ach! Nu worden we ook nog vals beschuldigd. Wat een leugens! Wat een ondankbaarheid! Wat een in- en in-akelig jongetje!'
'Ja maar...' begon ik, maar iemand legde een hand op mijn mond en fluisterde: 'Sssst! Je kunt beter ophouden, ook al heb je gelijk. Jynx zal altijd volhouden dat hij een goeierik is en jij een slechterik. En wij moeten hem gelijk geven, want hij is de Meester.'
Ik draaide me om. Achter me zat een jongetje, net zo oud als ik. Met net zulke mooie blonde krullen als ik, en net zo'n aardig, eerlijk gezicht als ik.
Intussen was Jynx opgestaan en hij riep naar alle kinderen: 'Jongens, meisjes, je weet dat ik van jullie houd als jullie eigenste vader. En zoveel houd ik ook van dit ondankbare jongetje. Daarom zeg ik: we geven hem gewoon zijn zin. Hij wil hier niet zijn, zegt hij. Nou, dan doen we gewoon net alsof hij er niet is. Dus we maken hem niet los (want iemand die er niet is, kan je ook niet losmaken) en we geven hem geen eten (want iemand die er niet is, kun je geen eten geven). En misschien, heel misschien, verandert hij dan van gedachten. Misschien verandert hij ook *niet* van gedachten. Oh, wat zal hij dan honger lijden...!'

4 *vierde hoofdstuk* **waarin ik uitgehongerd word**

Jynx begon de kamer rond te lopen. Hij hielp alle kinderen bij hun onbehoorlijke gedrag. Hij leerde de kaarters trucjes om vals te spelen, hield wedstrijdjes met de spugers, fluisterde vloekers nieuwe en extra erge vloeken in, kortom hij wist overal wat van. Hij ging naar de meisjes die in het hoekje zaten te koken. Ze probeerden soep te maken van drie oude kippenbotjes waar haast geen vlees meer aan zat.
'Wat doen jullie nou?' riep Jynx ontzet. 'Drie hele kippenbotjes! Drie! Wel ja, waarom geen vier. Denk je soms dat

kippenbotjes geen geld kosten? Willen jullie dat ik aan de bedelstaf raak? We zijn met ons vijfentwintigen, vergeet dat niet!'

Het leek me dat dat laatste nou juist een reden was om er méér botjes in te doen. Maar ik had intussen al begrepen dat Jynx zó gierig was, en zó zelfzuchtig, dat hij alle normale redenen verdraaide en verknoeide en vernachelde - zolang hij maar kon jammeren en klagen en medelijden hebben met zichzelf.

De meisjes zeiden: 'Het spijt ons, Meester, we zullen het nooit meer doen,' en ze keken alsof ze werkelijk spijt hadden. Ze gingen verder met hun soep, en daar deden ze alleen de allergoedkoopste rotzooi in: bloemkoolbladeren en aardappelschillen en de groene sprieten die boven aan een wortel zitten. Ook nog wat stukjes varkensdarm en ander afval.

Ik dacht: gelukkig krijg ik niks. Ik heb liever honger dan zulke soep!

Maar na een paar dagen was er van mijn kieskeurigheid weinig meer over. Ik had honger. Zo'n gruwelijke geeuwhonger had ik, dat ik op het punt stond om Meester Jynx voor eeuwig trouw te zweren, in ruil voor een hapje van zijn afschuwelijke soep.

Precies op dat moment kwam het blonde jongetje, dat net zo oud was als ik, naar me toe. En zogenaamd per ongeluk liet hij, vlak naast mijn gezicht, een broodkorst op het matras vallen.

Ik kon wel huilen van opluchting. Meteen wilde ik het aardige jongetje bedanken, maar hij legde een vinger op zijn lippen; Jynx mocht er niks van weten. In stilte schrokte ik de broodkorst naar binnen. Hij was droog, keihard en schimmelig, maar ik genoot ervan alsof het chocola was.

Terzijde

Sinds mijn vertrek uit het huis van Jynx heb ik nooit meer honger gehad. Ik lust nu namelijk alles, zelfs gras of boomschors. Ook nu, tientallen jaren later, kan ik nog vreselijk genieten van de meest alledaagse en eenvoudige hapjes. Een boterham met kaas, bijvoorbeeld, is voor mij een waar feestmaal. Wat dat betreft kan ik iedereen aanraden: laat je eens een tijdje vastbinden op een matras in een stinkende kamer, met de keuze tussen de hongerdood en het allerwalgelijkste eten. Daar heb je heel je leven plezier van.

Elke dag bracht het aardige jongetje me iets te eten. Hij deed het heel handig, niemand merkte het, en dat was heel knap van hem. Want alle kinderen in de kamer waren dieven, vingervlugge gappers die gewend waren in de schaduwen rond te sluipen met hun ogen en oren wijd open. Elke ochtend gingen ze de stad in, en 's avonds kwamen ze terug met gestolen beurzen, appels van marktstalletjes, sjaals, handschoenen en allerlei andere dingen. Dat legden ze allemaal op de grond voor Jynx, die het gretig naar zich toe klauwde en het meesleepte naar een geheim kamertje. Onder luid geklaag: dat het zo weinig was, dat de kinderen hun best niet hadden gedaan en dat we nu allemaal van honger moesten omkomen.
Daarna werd er eten gemaakt, voor iedereen behalve voor mij. Na drie weken begon Jynx zenuwachtig naar me te loeren, vanuit zijn ooghoeken.

'Lieve hemel, wat is dat jongetje koppig,' hoorde ik hem mompelen. 'Drie weken zonder eten! Dat kan toch niet?' Steeds scherper begon hij me in de gaten te houden en na drie dagen betrapte hij mijn kleine redder, toen die de helft van een rotte appel in mijn mond moffelde.
'Dat zag ik nou eens net!' gilde Jynx. Zijn gezicht was wit van woede en zijn ogen leken twee gloeiende kogels. 'Verraad! Verraden word ik, door mijn beste leerling! Degene voor wie ik alles zou doen, die beloont mij nu met ondank! Arme, arme ik! Nu ben ik gedwongen hem te straffen, terwijl ik zoveel van hem houd. Ach, wat zal het mij verdriet doen, als mijn lieve Ekster daar honger ligt te lijden!'

Het jongetje heette dus Ekster.
Dat was niet zijn echte naam. Jynx gaf iedereen in zijn huis een nieuwe naam. Al die namen betekenden iets.
Snoet heette bijvoorbeeld Snoet omdat hij zo'n vriendelijk gezicht had. In feite hebben alle namen een betekenis.
Ook de naam die je van je ouders krijgt.
Maar die klopt meestal niet, want als je een baby bent weten je ouders nog niet wat voor iemand je zult worden.
Zo heb ik eens een lakei gehad die Frummeltje heette, terwijl hij honderdvijftig kilo woog en zo sterk was dat hij bakstenen doormidden kon bijten.

De aardige jongen werd vastgebonden en naast mij op het matras gelegd. Jynx kwam bij me zitten, zo dichtbij dat zijn

grote kromme neus bijna de mijne raakte. Zijn adem stonk verschrikkelijk.
'Luister goed, jongetje,' fluisterde hij. 'Ekster zal jouw straf ondergaan, net zolang tot je berouw en dankbaarheid toont en belooft me altijd trouw te dienen. Begrepen? Dus als je niet wilt dat hij de hongerdood sterft, kun je het maar beter opgeven.' Hij spuugde me tegen mijn wang en vertrok, om zich te gaan bemoeien met de soep.
Dagenlang lagen we naast elkaar, Ekster en ik. Ekster vertelde me alles over het leven bij Jynx. Er waren hier drieëntwintig kinderen, die allemaal op hun derde bij hun ouders waren weggestolen door Snoet, de man met het vriendelijke gezicht. Snoet maakte verre reizen om de kinderen te halen. Iedereen hier was honderden mijlen van huis en niemand wist hoe hij de weg terug moest vinden. De meeste kinderen vergaten na verloop van tijd hun ouders en hun huis. Het enige wat ze uiteindelijk wisten, was hoe ze moesten stelen. Want dat leerden ze van Jynx. En als ze volleerde dieven waren, dan moesten ze de hele dag op pad. Om te jatten. Hun buit ging naar Jynx, anders kregen ze niks te eten. Of ze kregen slaag.
'Kortom, het is hier maar niks,' zei Ekster. 'Als mijn vader wist dat ik hier zat, zou hij me onmiddellijk komen redden met zijn soldaten.'
'Heeft jouw vader soldaten?' vroeg ik ongelovig.
'Jazeker wel,' zei Ekster trots. 'Mijn vader is een baron, in één van de oostelijke wijken. Kijk maar.' Hij liet me zijn pinken zien. Op het topje van de ene stond een kroontje getatoeëerd. Op de andere de letter F.
'Eigenlijk heet ik Falco,' vertelde Ekster, 'naar mijn vader.'
'Falco?' vroeg ik verrast. 'Zo heet de baron van onze wijk! Kom jij soms uit de Vogelwijk?'

'Ja!' riep Ekster. Met grote, blije ogen keek hij me aan. We waren allebei stomverwonderd, en doordat we uit dezelfde buurt kwamen gingen we elkaar nog aardiger vinden. Omdat we elkaar aan thuis deden denken. Ekster vertelde over zijn ouderlijk paleis: over de tuinen, de torens, de zalen, de kerkers, de geheime gangen, de soldaten en de bedienden. Hij vertelde me alles wat hij nog wist, en daarna vertelde hij het allemaal nog een keer.

'Dat helpt,' zei hij, 'tegen honger en verdriet.' Pas toen hij het zei, merkte ik dat het waar was: ik had een rammelende honger, maar die was ik vergeten terwijl hij zijn verhalen vertelde.

Terzijde

Niet iedereen gelooft dat verhalen helpen tegen de honger, maar het is echt waar. Helaas helpen ze altijd maar tijdelijk. Ik heb eens twee kluizenaars ontmoet, in de zuidelijke woestijnparken, die al veertig jaar lang niet gegeten, gedronken of geslapen hadden. Dat konden ze volhouden door elkaar verhalen te vertellen. Ze waren ooit begonnen elkaar over hun leven te vertellen, maar die levens raakten op. Toen moesten de kluizenaars overgaan op leugens, anders zouden honger en dorst hen inhalen en dan zouden ze ter plekke sterven.

Dagenlang vertelde Ekster over zijn oude leven. Ik luisterde met plezier, maar we werden magerder en magerder en ik dacht: dit kan zo niet doorgaan. Straks zijn z'n verhalen op, en dan gaan we allebei dood van de honger. Die arme Ekster! Alleen maar omdat hij mij wilde redden, moet hij

sterven in dit stinkende hol, terwijl hij baron had horen te zijn in een prachtig paleis. Nee, dat mag niet gebeuren!
'Hé, Jynx!' riep ik. De walgelijke oude man kwam haastig mijn kant op gescharreld. 'Je krijgt je zin,' zei ik. 'Ik geef het op. Jij wordt mijn Meester, en ik ben je veel dank verschuldigd.'
Jynx' ogen straalden van boosaardige vreugde, maar toch riep hij nog: 'Ach! Arme ik! Wekenlang heb ik me zorgen gemaakt om die arme jongens, die hier liggen te hongeren. Oh, wat wilde ik hun graag iets te eten geven! Maar nee, zei ik tegen mezelf: nee arme oude Jynx, als die jongens echt geen eten willen, mag je hun niets geven. En nu blijkt dat ze toch willen eten! Al die weken heb ik in spanning gezeten voor niets. Het was niet meer dan een harteloze, wrede plagerij van die jongens. Mij plaagden ze, mij, terwijl ik zoveel van hen houd en alles voor hen doe. Wat heb ik toch een moeilijk, droevig leven. Overal is ondank.'
Terwijl hij dit zei, met nog meer van zulke onzin, maakte hij haastig onze touwen los en hij stopte ons broodkorsten in de hand. Daarna zette hij borden voor ons neer met een soort hutspot, gemaakt van groentenafval. Hij wreef zich in de handen, giechelde, neuriede en danste schuifelend door het vertrek. Intussen aten wij als hongerige wolven van de smerige prak die hij ons voor had gezet.
Toen we de borden tot aan de allerlaatste beetjes hadden afgelikt greep hij ons ieder bij een schouder. Hij trok ons overeind en sleurde ons achter zich aan.
'Tijd om te beginnen,' mompelde hij koortsachtig. 'De hoogste tijd, ja!'

5 *vijfde hoofdstuk* **waarin ik een dief word**

Het huis van Jynx was geen gewoon huis. Vroeger, heel lang geleden, was het begonnen als een soort hutje met maar één enkele kamer, die tegelijkertijd slaapkamer, eetkamer, keuken en wc was. Daarna was er een grote kamer bijgebouwd, en een klein kamertje, en nog een paar kamers, en een gangetje, een keuken, een binnenplaatsje, een bijkeuken, nog een gangetje, weer een paar kamers, een inloopkast, enzovoort. Inmiddels was het huis zo groot als een dorp. Een doolhof van heb ik jou daar, en alleen Jynx wist er de weg. Sommige kamers waren half in de grond gegraven, andere stonden op palen. Sommige hadden daken van hout, andere van leisteen of dakpan of stro. Het enige waarin al die kamers op elkaar leken, was dat ze goor waren.

Duim is een erg oude stad, en er staan veel van dergelijke gebouwen, die door de eeuwen heen groter en groter geworden zijn. Een beroemd voorbeeld is de grote kathedraal van het Noorderkwartier. Je hebt een dag nodig om daar helemaal doorheen te lopen. Als je een gids hebt tenminste, anders kun je er beter niet aan beginnen.
Nog beroemder is het paleis van de baron van Altenburg. Dat is immens groot, en de familie van Altenburg woonde er al

honderden jaren. Op een dag ontdekten ze echter dat er, elders in het paleis, nóg een familie woonde, ook al eeuwen lang. Die dachten óók dat ze de baronnen van Altenburg waren. Er kwam een nare burgeroorlog van.

Jynx sleepte ons mee, trappetje op, trappetje af. Gangetje in, kamertje uit. Net zolang tot het ons volledig duizelde en we geen idee meer hadden waar we waren. In een grote kamer hield hij halt. Het stond daar vol met vreemde dingen: een grote pop met honderden belletjes aan zijn kleren, een los stukje muur met een raam erin, verschillende deuren met deurpost en al, en tafels die leken op marktkramen.
'Hier,' zei Jynx, 'gaan we beginnen met jullie opleiding. Ik zal jullie de edelste kunst leren die de mensen kennen. De kunst van het stelen. Ik verwacht niet dat jullie me dankbaar zullen zijn, of me ooit zullen terugbetalen voor alle moeite die ik voor jullie doe; maar ik ben een arme oude man, met een veel te goed hart, en ik zal jullie alles leren wat ik weet. Ekster, laat maar eens zien hoe goed je kunt zakkenrollen.'
Ekster had al heel wat lessen achter de rug. Bovendien had hij talent voor diefstal. Heel veel talent. Hanig liep hij naar de jas met de belletjes. Zijn handen hield hij op zijn rug, fluitend keek hij de andere kant op, en toen, heel even, streek hij met zijn arm langs de jas. Zo zachtjes, dat er geen enkel belletje rinkelde. Even dacht ik een snelle, sierlijke beweging van zijn hand te zien - maar nee. Zijn handen hingen losjes op zijn rug.
Totdat hij naar ons terug kwam gewandeld. Toen haalde hij een dikke beurs uit zijn broekzak en wierp die speels omhoog. Ik keek ernaar met stomverbaasde ogen. Hoe had hij dat voor elkaar gekregen?

Naast me stond Jynx heel zachtjes te huilen. Van ontroering.
'Prachtig,' murmelde hij. 'Een verrukkelijk schouwspel. Ach, dit doet een arme oude man goed. Ekster, m'n jongen, wij gaan een grote toekomst tegemoet.' Dit was de eerste en enige keer dat ik Jynx hoorde praten zonder te klagen.
'Zo, jongen,' gromde hij daarna tegen mij. 'Laat maar eens zien of jij dat ook kunt. Haal maar eens een beurs uit de zakken van die jas, zonder dat er een belletje rinkelt. Oh, die belletjes!' huiverde hij. 'Ieder klingeltje is een nachtmerrie voor mij. Een smet op de kunst van het stelen. Maar ik zal het verdragen, ik offer me op om jou de opleiding te geven die je verdient. Doe je best!'
En ik deed mijn best. Ik wilde net zo goed zijn als mijn vriendje. Ik had een hekel aan de Meester, maar toch wilde ik dat hij ook over mij zou praten zonder te klagen. Behoedzaam sloop ik naar de jas. Heel, heel langzaam strekte ik mijn vingers uit naar één van de zakken.
Rinkeldekinkel! Nog voordat ik zelf wist dat ik de jas had aangeraakt, begonnen er wel vier belletjes te klingelen. Ik schrok er zelf van. Zo erg, dat ik gillend de lucht in sprong. Bats, tegen de pop met de jas aan. Dreunend en rinkelend ging de hele zaak tegen de vloer.
'Ach!' riep Jynx, en 'Arme ik!' en hij zanikte wel een half uur lang over zijn droevige leven. Dat hij gedwongen was om zijn edele kunst te onderwijzen aan kleine idiootjes. Dat hij de beste jaren van zijn leven gaf aan ondankbare kneusjes. Maar dat de idiootjes zijn kunst helemaal niet wilden leren, en dat de kneusjes nooit om zijn beste jaren hadden gevraagd - daar zweeg hij over.
Onder het klagen zette Jynx de pop met de rinkeljas weer overeind. Aan mijn oor trok hij me erheen.

'Let goed op, sufferd,' snauwde hij. 'Zo rol je een zak. Je hand glijdt voorzichtig de zak in - kijk, zo! Dan duw je je ringvinger die kant op - kijk, zo! En met je pink duw je...'
'Ik heb geen pink,' zei ik.
'Wat? Wat zei je daar?' Afkerig staarde de gemene Meester naar mijn handen. 'Het is waar!' gilde hij beschuldigend. 'Geen pink! Niet eentje! Hoe kan dat? Wat heb jij met je pinken gedaan, akelig jongetje?'
'Per ongeluk afgesneden,' piepte ik. 'Een half jaar geleden al.'
'Oh, die Snoet!' knarste de Meester. 'Wat een knoeier is dat toch. Waarom heeft hij dat niet gezien? Bah, bah, bah. Wie steelt er nou een kindje met stukjes eraf? Arme, arme ik!'
Ik kreeg meteen weer een week geen eten. Bovendien moest ik iedere dag de vloeren schrobben in het vieze huis van Jynx. Voor straf. Aan het einde van de week mocht ik het nog eens proberen. Ik kon er nog steeds niets van.
Vijf lange jaren woonde ik in het huis van Jynx. Ik leerde heel behoorlijk schrobben in die tijd, maar een beetje fatsoenlijk stelen - ho maar. Ik had niet alleen te weinig pinken, maar ook te weinig talent. Ik kreeg bijna nooit iets te eten, want ik had altijd straf. Gelukkig bleef Ekster al die jaren mijn vriend, en hij gaf me vaak de helft van zijn portie. Zonder dat Meester Jynx het merkte, want de handigheid en de sluwheid van Ekster waren zonder weerga. De kinderen in het huis fluisterden dat Ekster misschien wel de Algapper was. De Dief der Dieven. De Universele Dief. Zelfs de verdorven Jynx behandelde mijn vriend met eerbied. Natuurlijk niet met zoveel eerbied dat hij hem naar huis liet gaan, want Ekster stal en pikte en gapte een fortuin bij elkaar in die vijf jaren. Jynx werd gieriger en gieriger.
Natuurlijk probeerden we wel eens te ontsnappen, Ekster

en ik. Maar Snoet, of Jynx, of een van de oudere jongens, hield ons altijd goed in de gaten. Na verloop van tijd gaf ik de hoop op mijn ouders ooit nog terug te zien. Ik vergat hun gezichten, hun stemmen, ons huis en onze hele buurt. Na vijf jaren wist ik niets meer van mijn vroegere leven. Ja, zelfs mijn eigen naam was ik vergeten.

Terzijde

Misschien zul je vragen: 'Als je dat allemaal vergeten was, hoe kun je het nu dan vertellen?' Dat is een goede vraag. Het antwoord is simpel. Later, toen ik volwassen was, ging ik eens op bezoek bij Madame Ulula, de beste waarzegster van Duim. Zij las mijn hand, en daar stond alles glashelder in. Sindsdien weet ik het dus weer. Trouwens, enkele jaren na de onthullingen van Madame Ulula werd ik op wonderlijke wijze herenigd met mijn ouders, en zij vertelden hetzelfde verhaal.

Ekster was heel anders dan ik. Hij gaf het nooit op. Elke avond vertelde hij ellenlange verhalen over het paleis van zijn vader, over zijn familie en zijn bedienden. Hij kon zo mooi vertellen dat ik alles voor me zag, alsof ik er zelf gewoond had. Uiteindelijk kende ik alle gangen en kamers en hoekjes van zijn hele paleis uit mijn hoofd. Ik was dol op Eksters verhalen. Het paleis van baron Falco vond ik veel spannender en interessanter dan mijn eigen huis. Ik had het gevoel dat ik dáár thuishoorde, en niet in het armoedige straatje van de vogelhandelaren. Dat kwam, denk ik,

door mijn merkwaardige geboorte. Wie vanaf zijn eerste levensdag al zo bijzonder is, kan in zijn hart geen gewone vogelkoopman zijn. Bovendien ben ik nooit bang geweest, en soms een beetje opvliegend, en dat is niet het karakter van een koopman. Eerder dat van een edelman.
Ekster en ik droomden vaak dat zijn vader ons zou komen bevrijden met zijn soldaten.
'En dan mag jij bij ons in het paleis komen wonen,' zei Ekster altijd. 'Want jij bent mijn enige vriend in dit helse hol.' Hij staarde somber voor zich uit.
Ja, Ekster was vaak droevig of wanhopig. Hij huilde in zijn slaap en prevelde de naam van zijn moeder.
De hele dag, tijdens het schrobben, verzon ik manieren om Ekster aan het lachen te maken. Ik bedacht grappen en verhalen, ik oefende me in het trekken van rare gezichten en in gekke stemmetjes. En als Ekster dan thuiskwam na een dag hard gappen, en een beetje somber was, gebruikte ik dat alles om hem op te vrolijken. Zo hielpen we elkaar, in het afschuwelijke huis van Jynx. Hij gaf mij zijn eten en ik gaf hem mijn goede humeur.
Jammer genoeg hield ik daardoor geen greintje goed humeur voor mezelf over. Ik was somber, knorrig, droevig, nijdig, wanhopig - kortom alles behalve gelukkig.
Maar op een dag, ongeveer vijf jaar nadat ik door Snoet gestolen was om bij Jynx in huis te komen, kwam er een eind aan dit bestaan.
Ik zat te schrobben in een van de talloze kamers in Jynx' huis. Zachtjes huilde ik voor me uit. Plotseling werd ik opgeschrikt door een ongelooflijk lawaai. Geschreeuw, gekraak, gestamp - het klonk alsof er een bende woeste kerels bezig was iedere deur van het huis in te beuken.
En dat was ook precies wat er aan de hand was.

6 *zesde hoofdstuk* **waarin ik gered word**

Jynx kwam haastig naar binnen geschuifeld in de kamer waar ik aan het schrobben was. Wij waren de enigen in het huis; de rest was uit stelen.

'Wat gebeurt er?' piepte hij.

'Weet ik niet,' mompelde ik bevend.

'Ach! Arme ik! Niemand vertelt me ooit iets. Overal sta ik alleen voor, terwijl ik alles doe om jullie...'

Ik had bijna bewondering voor de Meester, die zelfs ter-

wijl zijn huis door onbekenden werd afgebroken nog de tijd nam om te jammeren en te zeuren. Maar hij kreeg niet de kans om zijn klacht af te maken, want de deur van de kamer vloog open en er stormden twaalf soldaten naar binnen, met rode jassen en glanzende geweren.
'Geef jullie over!' brulden ze.
Ik liet mijn zwabber vallen en stak mijn handen in de lucht. Jynx wierp zich op zijn knieën en smeekte om medelijden.
'Ik ben maar een arme, oude man,' riep hij met tranen in zijn ogen. De soldaten tilden hem op en zetten hem recht overeind. Snikkend en snotterend stond hij tussen hen in.
Op dat moment kwam er een magere heer binnen. Zijn neus was smal en leek wel zo scherp als een mes. Nog scherper waren zijn ogen; maar het allerscherpst was zijn verstand. Want dit was de Grote Detective, de meest beroemde speurder van de hele stad Duim.

Terzijde

*De GD, dat wil zeggen de Grote Detective,
was werkelijk briljant, maar alleen als het om misdaden ging.
In alle andere dingen was hij aardig achterlijk.
Er was geen misdaad die hij niet kon oplossen;
maar hij was er nog nooit in geslaagd om zijn eigen veters te strikken, ook al probeerde hij het elke dag dapper opnieuw.
Hij had dan ook een speciale bediende die hem moest helpen met ingewikkelde klussen zoals veters strikken, boodschappen doen, boterhammen smeren en straat oversteken.*

De GD nam bedachtzaam zijn pijp uit zijn mond en zei: 'U bent de heer Jynx, naar ik aanneem?'
Jynx knikte zwijgend. Het had geen zin om 'nee' te zeggen, of te jammeren. De GD vergiste zich nooit, en hij kende geen medelijden.
'Juist,' sprak de speurder koel. 'Zes jaar geleden heeft een kinderdief u een jongetje gebracht. Een jongetje met prachtige blonde krullen, en tatoeages op zijn pinken. Op de ene een kroontje. Op de andere een letter F. Klopt dat?'
Jynx knikte weer.
'Juist,' zei de speurder. 'Dat jongetje heet Falco, en hij is de enige zoon van baron Falco van de Vogelwijk. Hij wordt door u opgeleid tot dief. Klopt dat?'
Jynx knikte. Nu begreep ik wat er aan de hand was - en ik kon wel dansen van geluk. De dromen van Falco en mijzelf waren uitgekomen! Falco's vader, de baron, had de GD gevraagd zijn zoontje te vinden. Nu zouden we gered worden!
'Juist,' zei de GD. 'Soldaten, arresteer deze man. Hij kan u zeggen waar jonker Falco is. En nu,' hij haalde een zilveren horloge uit zijn zak en keek er kort op, 'ga ik de postkoets van twaalf uur drieënveertig halen. Er is een moordzaak in de noordelijke wijken die dringend opgelost moet worden. Goedemiddag.' Hij draaide zich om en liep de deur uit. Zijn bewegingen waren zo stram alsof hij een opwindsoldaatje was.
'Je hebt het gehoord,' zei de sergeant van de soldaten tegen Jynx. 'Je staat onder arrest. Vertel ons maar gauw waar we de jonker kunnen vinden.'
Maar Jynx vertelde niets. Hij floot tussen zijn tanden, keihard. Onmiddellijk kwam er een wilde horde ratten de kamer binnen. Ze wrongen zich door de ramen, door de

deuren, door kieren in de vloer en gaatjes in de plinten. Sommigen lieten zich zelfs van de zoldering naar beneden vallen. Boven op de soldaten.
'Bah,' riepen die, en ze probeerden de ratten van zich af te slaan. Maar het waren er honderden, nee duizenden, en ze kwamen niet alleen van boven gevallen, maar ze klommen ook van beneden je broekspijp in. Ze sprongen tegen je op en beten zich vast in je vingers.
De soldaten stommelden door de kamer, schoppend naar de ratten en wild met hun armen wapperend. Een van hen schoot per ongeluk met zijn geweer in het plafond.
In al het lawaai en gedoe vergaten de soldaten op Jynx te letten. Behendig glipte de oude Meester weg. De deur knalde achter hem dicht, en even later klonk er van ergens uit het huis een schel gefluit. De ratten verdwenen even snel als ze gekomen waren.
De soldaten keken hijgend om zich heen.
'Waar is die vieze ouwe vent naartoe?' vroegen ze elkaar.
'Die is weg,' zei ik. 'En denk maar niet dat je hem ooit nog vindt. Dit huis is geweldig groot, en alleen Jynx kent er de weg.'
'Oh nee,' kreunden de soldaten. 'Hoe vinden we jonker Falco nou ooit nog terug? Wat zal de barones boos zijn! Straks ranselt ze ons uit ons velletje!'
Daar hadden ze waarschijnlijk gelijk in. Ekster had me veel verteld over de barones, want dat was zijn moeder. Ze was de liefste moeder ter wereld, maar tegen haar bedienden en soldaten kon ze behoorlijk streng zijn. "Ik ransel je uit je velletje" was haar lievelingsdreigement. Niemand wist wat ze er precies mee bedoelde, maar het klonk heel pijnlijk.
'Wees maar niet bang,' zei ik tegen de soldaten. 'Jullie hoeven heus niet met lege handen naar huis. Want ik ben...

niemand minder dan jonker Falco!'
Dat was niet helemaal eerlijk van mij. Eigenlijk was het mijn vriend Ekster, waar de soldaten naar op zoek waren. Maar ik dacht: Ekster is er nu niet. En Jynx is ontsnapt - wie weet wat er gaat gebeuren. Het is beter als ik met die soldaten meega. Dan nemen ze me mee naar baron Falco. Misschien kan ik de baron helpen, zijn zoon te zoeken. Ja, dat is het! Samen zullen we Ekster redden, ik en de baron! Maar als die soldaten mij niet meenemen, gaat het niet door. Laat ik dus maar zeggen dat ik de verloren jonker ben. Liegen is niet erg, als je het doet om je vriend te helpen.
En bovendien: ik had weinig zin om de rest van mijn leven de vieze vloeren van Jynx te blijven schrobben.
'Ik ben Falco,' zei ik dus, en de soldaten waren dol van opluchting. Want ze waren erg gehecht aan hun velletjes.
Ze hesen mij op hun schouders, riepen 'Hoera! Terug naar het paleis!' en zetten me weer op de grond want anders paste het niet door de deur.
'Hoho,' riep een soldaatje dat wat slimmer was dan de rest. 'Wacht even, sergeant. Weten we zeker dat dit jongetje niet liegt? Als we met het verkeerde kind naar huis komen, kunnen we onze velletjes voor altijd gedag zeggen.'
'Daar heb je gelijk in,' begreep de sergeant. 'Zeg eens jochie, ben jij wel helemaal eerlijk?'
'Ja hoor,' loog ik. 'Goudeerlijk.'
'Nou, je hoort het,' zei de sergeant. 'Hij zegt het zelf. En bovendien: hij heeft mooie blonde krullen, dus dat klopt, en hij is ongeveer negen jaar dus dat klopt ook.'
'En zijn pinken?' riep het slimme soldaatje. 'We moeten ook naar zijn pinken kijken, naar de tatoeages!'
'Daar heb je alweer gelijk. Jij wordt nog wel eens sergeant als je zo doorgaat. Vooruit jongen, laat je pinken eens zien.'

Het slimme soldaatje is natuurlijk nooit sergeant geworden.
Ik heb hem zo snel mogelijk laten ontslaan.
Soldaten moeten niet slim zijn,
ze moeten zonder nadenken doen wat hun gezegd wordt.
Ik sprak hier eens over met mijn vriend Hendrik Houwdegen,
de Havik van het Westerkwartier.
'Groot gelijk,' zei die eersteklas vechtjas,
'soldaten moeten dom zijn, zo dom als 't maar kan.
En hoe hoger in rang, hoe stommer.'
Hendrik kan het weten, want die is zelf generaal.

Gehoorzaam hield ik mijn handen omhoog.
'Krijg nou wat!' riep de sergeant. 'Hij heeft geeneens pinken!'
'Dat klopt meneer,' zei ik huilerig. 'Die gemene Jynx heeft ze eraf gesneden, zodat niemand ooit zou weten dat ik het was. Ik bedoel: dat ik ik was. Dat ik het kind van de baron was. Ik bedoel...' Ik zette het op een huilen. Ja, echte tranen stroomden over mijn wangen, want als je de boel belazert moet je het goed doen.
De sergeant moest er zelf bijna van huilen. 'Kop op, jochie,' mompelde hij. 'Je hoeft niet bang meer te zijn voor die griezel. Wij nemen jou mee naar huis. Naar het paleis van je ouders!'
En dat deden ze.

7 *zevende hoofdstuk* **waarin ik naar het paleis gebracht word**

Ik knipperde met mijn ogen, want het zonlicht stak hard in mijn hoofd. Ik had al vijf jaar geen stap buiten het huis gezet. De voordeur van Jynx, die ik nu voor het eerst van

de buitenkant zag, kwam uit in een akelig steegje. Het rook hier naar braaksel en er stonden duistere huizen, met schimmel op de muren. Af en toe zag je een gezicht opdoemen, achter ramen of in portieken: vale, magere koppen, met ogen die glinsterden van gemenigheid en honger.
Ik was blij toen we die sloppen achter ons lieten en in een brede straat kwamen, waar het een druk gewoel was van koetsen en sjezen en hondenkarren. Daarna kwamen we in een prachtige laan, met bomen en sjieke huizen en op elke hoek een vuurmand, waar je gepofte kastanjes kon kopen. De sergeant kocht een zakje kastanjes voor me en die waren zo lekker en zo warm dat ik alles om me heen vergat. Ik merkte niet eens dat ik in een koets met zachte kussens werd getild. En dat de koets klepperend en ratelend voortjoeg door de prachtige laan. En dat er achter op de koets een lakei zat, die op een trompetje blies.
'Opzij,' riep hij, 'opzij voor jonker Falco!'
De mensen gingen opzij en wuifden vrolijk naar de koets.
We reden naar een dure herberg, waar we heerlijk eten kregen en in zachte bedden sliepen. De volgende dag reden we verder, en de dag daarop ook, en nog een hele week daarna.
Toen kwamen we in een tuin zo groot als een park. Midden in dat park stond een paleis, met sierlijke torens en ramen van spiegelglas. We stopten aan de voet van een brede trap, een hoge trap van wel duizend treden met boven aan een bordes van spekgladde glimsteen. Aan dat bordes lag de voordeur van het paleis. Een eikenhouten deur met gouden spijkers.
De trompetlakei blies op zijn trompetje en door de grote deur kwamen twee mensen naar buiten.
De baron en de barones.

Ik herkende hen onmiddellijk, ook al had ik hen nog nooit gezien. Ze waren precies zoals ik me had voorgesteld. De baron was een ouwe vechtjas met een puntsnor en priemende oogjes. Zijn rug was rechter dan een bezemsteel. De barones stond nóg rechter, als dat al mogelijk was. Ook priemden haar oogjes harder dan die van de baron; maar hij was mager en zij was dik, en daardoor leek ze toch een beetje een gezellig mens.
Doodkalm stonden die twee te wachten tot hun verloren zoon thuiskwam.
De koets stopte. De sergeant stapte van de bok af en hield de deur voor me open. Ik durfde niet goed uit te stappen. Als ze me nou eens doorhadden?
'Niet zo verlegen, jongen,' bromde de sergeant, en hij tilde me de koets uit. Zo trots als een aap liep hij naast me de trap op. Toen we op het bordes kwamen boog de sergeant zo diep, dat zijn neus lager kwam dan zijn knieën.
'Hoogwelgeboren heer,' zei hij, 'hoogwelgeboren vrouwe! Ik heb het onuitsprekelijk genoegen u te kunnen vertellen dat ik jonker Falco, uw zoon, voor u heb meegebracht.'
'Heel goed,' zei de barones. 'Als deze jongen werkelijk onze zoon is, dan... eh... regel jij dat maar, lieve.'
'Hrum,' kuchte de baron. 'Juist ja. Dan. Wordt u bevorderd. Tot luitenant.'

De baron had de neiging al zijn zinnen in kleine stukjes te breken, en die stukjes uit te spreken alsof het hele zinnen waren. Dat is vaak zo,

bij mensen die een hoge rang hebben gehad in het leger.
Volgens de geleerde Aegolius komt dat,
doordat officieren altijd bevelen moeten geven.
En een bevel is altijd kort.
Maar volgens generaal Houwdegen komt het
omdat officieren te dom zijn om meer dan drie
woorden achter elkaar te denken.

'U bent te goed voor me,' mompelde de sergeant, en hij boog opnieuw met zijn neus naar zijn knieën.
'Welkom, zoon,' zei de barones. 'Je vader en ik zijn blij dat je weer terug bent. We wisten heus wel, dat je weer gevonden zou worden. Je bed is nog precies zoals het was, en je oude Pluizebeer heeft al die tijd op je gewacht.'
'Mijn oude Pluizebeer?' vroeg ik verbaasd. 'Dat kan toch niet? Die was toch stukgebeten door de hond?' Want dat had Ekster me allemaal verteld.
Het gezicht van de barones begon te stralen van plezier. Tegelijkertijd werden haar ogen een klein beetje vochtig, alsof ze heel stiekempjes moest huilen.
'Lieve,' zei ze tegen de baron, 'dat van die Pluizebeer wist alleen onze eigen Falco. Dus dit is hem. Dit *moet* hem zijn!'
'Ja,' zei de baron, 'maar. Hrum. Zijn pinken. Wil ik zien.'
Ik toonde mijn handen en begon huilerig te vertellen dat Jynx mijn pinken had afgehakt. Ja, ik begon het zelf zowat te geloven.
'Hrrrrum,' zei de baron, en de ogen van de barones werden nog vochtiger.
'Juist,' zei de baron. 'Goed werk, luitenant. Ingerukt!'
'U bent te goed,' mompelde de sergeant, die nu een luitenant was. Hij stond nog steeds met zijn neus op zijn

knieën, want hij kon niet meer overeind komen. Het buigen was hem in de rug geschoten. Hij bleef dan ook met een pijnlijk gezicht staan waar hij stond en rukte in het geheel niet in.
De baron en de barones merkten het niet, want zonder nog op hem te letten draaiden ze zich om en troonden mij mee naar binnen.
Naar een deftige kamer werd ik gebracht, met tapijt op de grond en fluweel aan de muren, zachte kussens op de stoelen en overal schilderijen. Daar vroeg de barones: 'Lieve, kan iemand ons nog zien?'
'Niemand,' antwoordde de baron.
'Ook geen bedienden?'
'Zeker geen bedienden,' zei de baron.
Op slag veranderde het gezicht van de barones. Het leek of een tovenaar haar plotseling naar de maan had getoverd, en in haar plaats een heel ander iemand op de vloer had neergekwakt. In plaats van de barones, die voortdurend stijf overeind had gestaan en hooghartig om zich heen had gekeken, zat er nu een blobberende, snotterende hoop onmacht op de grond.
'Oh jongen,' snikte ze, 'oh jongen, we hebben je zo gemist!' Ze klemde me tegen zich aan en kuste me waar ze me maar raken kon. Heel prettig vond ik dat, want ze was warm en zacht en ze kuste me zonder geslorp en gelik, kortom, ze kuste zoals alleen een moeder je kan kussen. En dat ze niet mijn echte moeder was, ach, wat zou dat? Op dat soort kleinigheden moet je niet letten, anders wordt alles ingewikkeld.
Ik was al vijf jaar lang niet meer opgepakt of geknuffeld, dus ik had heel wat in te halen.
'Oh jongen,' (knuffel) 'wat ben je mager,' (kus, kus) 'ze

hebben je toch wel' (kus) 'goed te eten gegeven?' (knuffel knuffel kus).
'Nou nee,' zei ik, 'niet zo heel erg goed,' en je kon zien dat daar geen woord van gelogen was. Ik was zo verschrikkelijk mager dat het maar goed was dat mijn vel nog om me heen zat, anders had iedereen gedacht dat ik een losse stapel botjes was. Of een wandelend geraamte, dat kwam spoken.

De barones had dus een vraag gesteld, waarop zij het antwoord al wist. Dit deed zij heel vaak, ontdekte ik later. Als ze dan antwoord kreeg, dacht ze bij zichzelf: kijk, dat wist ik al. Zo dom ben ik dus ook weer niet! Dat vond ze een fijne gedachte. Alle baronnen, koningen en keizers geloven namelijk stiekem dat ze eigenlijk te dom zijn voor hun baantje. Daarom hebben ze allemaal slimme ministers en knappe spionnen; die moeten ervoor zorgen dat de heersers meer weten dan hun onderdanen. Natuurlijk kun je ook zo doen als baron Buteo de Bloeddorstige, die alle onderdanen liet onthoofden als ze slimmer waren dan hij. Maar Buteo was zo dom, dat er maar vijf mensen dommer waren. Dus op 't laatst had hij nog maar vijf onderdanen. Zijn medebaronnen namen hem daarom niet erg serieus.

'Hrum,' zei de baron. 'De tafel. Staat gedekt. Dat. Is heel goed. Tegen magerheid.'

We gingen naar een andere deftige kamer, met een tafel met zilveren bestek en kristallen bokalen.
Maar het bestek en de bokalen interesseerden me niet. Want daartussenin stonden schalen met eten, en wat voor eten! Fazanten, patrijzen en kwarteltjes, gerookte zalm en geroosterde forel, salades warm en koud, pasteien en broden en sauzen en soepen. Alles glom en droop en knisperde en geurde.
Met een woeste kreet stormde ik op de tafel af en ik stak mijn hoofd in een bak salade. Ik vrat als een varken en ondertussen greep mijn linkerhand een kwarteltje en mijn rechter een forel.
'Juist ja,' bromde de baron somber, en hij draaide aan de punten van zijn snor.
'Lieve,' zei de barones kalm, 'we moeten de bittere waarheid onder ogen zien. Ons kind is een hork. Hij weet niet hoe het hoort. Ik denk dat de dief, die hem ontvoerd heeft, geen goede tafelmanieren had.'
'Hij had niet eens een tafel,' wilde ik roepen, maar mijn gezicht zat diep in een soepterrine dus alles wat ik zei klonk als 'Mbl de blubber de blub'.
'Juist ja,' bromde de baron weer.
'Stel je niet zo aan, lieve,' sprak de barones streng. 'Het komt heus wel goed. We voeden hem gewoon opnieuw op.'
'Hij zal,' zei de baron, 'stevig worden aangepakt.'
'Goed zo, lieve,' glimlachte de barones. 'Zo ken ik je weer.'
'Mbl,' zei ik.

8 *achtste hoofdstuk*
waarin ik opnieuw opgevoed word

Er ging een heerlijke week voorbij. De barones knuffelde mij dag en nacht, ik kreeg prachtige kleren aan en mocht mij volstoppen met het heerlijkste eten. In het begin dacht ik: ik moet zo snel mogelijk vertellen hoe het zit. Dat ik hun echte zoon niet ben. Dat Ekster het eigenlijk is. Dan gaan we hem samen redden, de baron en ik.

Maar steeds dacht ik: laat ik nog een paar dagen wachten.

Tot ik er helemaal gezond en blozend en dikgegeten uitzie. Wat zal het Ekster een plezier doen als hij ziet dat het zo goed gaat met mij, zijn beste vriend! Elke avond keek ik in de spiegel, of ik er al goed genoeg uitzag voor mijn trouwe makker. Maar nee, niets was goed genoeg voor Ekster. Steeds weer besloot ik: een paar dagen nog!
Zo ging de week voorbij.
Op vrijdag was er een groot vuurwerk. Alle mensen mochten in de tuin van de baron komen en ze mochten zelfs op het gras lopen. Het vuurwerk werd afgeschoten vanaf de paleistorens, en aan het einde ging de eikenhouten deur met de gouden spijkers open en de baron en zijn vrouw brachten mij naar buiten. Alle mensen juichten toen ze mij boven aan de trap zagen staan. Daarna was er een gigantische taart; iedereen mocht ervan eten zoveel hij wilde en alle kinderen kregen buikpijn.
Daarna riep de baron: 'Iedereen krijgt! Ter ere van! Mijn zoon! Twee dagen vrij!' en alle mensen juichten weer. Pas toen ze thuiskwamen bedachten ze dat ze die twee dagen toch al vrij hadden, want dat was het weekend. Maar ze vonden het toch aardig bedoeld van de baron. Na het weekend ging iedereen fluitend weer aan het werk.
Iedereen, dus ik ook.
Mijn ouders (laat ik ze zo maar noemen, want ze behandelden mij als hun eigen zoon en mijn echte ouders zou ik pas vele jaren later weer terugzien), de baron en zijn vrouw dus, lieten een leraar komen die mij helemaal opnieuw zou opvoeden. Ik moest leren lezen en schrijven, paardrijden, schieten met het geweer en het pistool, schermen met degen, sabel en floret, dansen en schaken. Ik moest vooral veel dingen afleren, zoals eten met mijn hele hoofd in de pan en spugen op de grond.

Spugen op de grond is vies, ordinair en onbeleefd. En voor de grond is het ook niet prettig. In de wijk Roggelenburg, waar de kinderen zeer slecht worden opgevoed, is een plein waarop zo vaak gespuugd is, dat het terug is gaan spugen. Er ligt daar zoveel spog op de grond, dat het kleinste kwatje een flinke kwijlfontein veroorzaakt. Als je pech hebt, spettert die recht in je gezicht. Maar de mensen daar zijn zo slecht opgevoed, dat ze gewoon doorgaan met spugen.

Mijn leraar, Meester Draaihals, zat op maandagochtend om half acht te wachten in een speciaal kamertje. Daar zou ik les krijgen. In mijn eentje; Draaihals was ingehuurd voor mij alleen. Hij was een magere man, met strenge ogen en een toegeknepen mondje. In zijn hand hield hij een zwiepstokje.

'Ja, kijk maar eens goed,' zei hij. 'Met dit stokje ga ik je slaan, elke keer als je iets verkeerd doet. Heel vaak dus.'

'Dat zullen we nog wel eens zien,' snoof ik.

'Fout. Ik ben ouder dan jij, dus je moet beleefd zijn en zeggen: "Dat zullen we nog wel eens zien, meneer". Nog beter is het om te zeggen: "Zoals u wilt, *meneer.*" Buig je eens voorover?'

Verbaasd boog ik voorover. Ik begreep niet wat hij van plan was, ik dacht dat er iets op de grond lag of zo. Maar er klonk een zwiep en een pets en plotseling leek het of mijn billen in brand stonden. Meester Draaihals had me geslagen, met zijn stokje, terwijl we elkaar nog geen halve minuut kenden.

'Nou,' zei ik, 'dit is mooi de laatste keer dat ik voorover ben gebogen.'
'Dit,' zei Meester Draaihals, 'is de laatste keer dat ik voorover heb gebogen... meneer. Luisteren als ik wat zeg, ja? Steek je handen maar uit.'
Een beetje ongerust stak ik mijn handen uit. En ja hoor, zwiep en pets. De tranen sprongen in mijn ogen van de pijn. In stilte nam ik mij voor om nooit meer te doen wat Meester Draaihals me opdroeg, want dat liep altijd op gezwiep en gepets uit.
'Ga eens zitten,' beval Meester Draaihals, en hij wees op een lessenaar.
'Ik zal wel wijzer wezen,' zei ik.
'Steek dan je handen maar weer uit.'
'Mooi niet.'
Zwiep, pets! Draaihals mepte me op mijn arm.
Nou zeg, dacht ik, of ik mijn handen nou uitsteek of niet, het wordt altijd zwiepen en petsen. Ik kan maar beter bij die kerel uit de buurt blijven.
Ik glipte het kamertje uit, en Draaihals rende zwiepend en zwaaiend achter mij aan.
Om een lang verhaal kort te maken: de opvoeding werd geen succes. Het werd zo erg dat ik soms dacht: Ekster heeft toch maar geluk, dat ik zijn plaats heb ingenomen! Nou zit hij lekker bij Meester Jynx, terwijl ik hier door die akelige Draaihals word afgeranseld. Maar dan dacht ik terug aan de smerige stronkensoep van Meester Jynx en ik wist weer: die arme Ekster heeft het echt niet beter dan ik.
Ik ga Ekster zoeken, besloot ik. En hem redden. Maar steeds als ik dat dacht, kwam Meester Draaihals er weer aan met zijn zwiepstokje en dan moest ik rennen voor mijn leven. En dan vergat ik het weer.

Na twee weken zei mijn vader tegen Draaihals: 'Zeg, leraar! Mijn zoon. Eet nog steeds. Niet met. Mes en vork. Hoe zit dat?'
'Ik begrijp er ook niets van,' zei Meester Draaihals. 'Ik sla hem waar ik hem maar raken kan, we hebben al twee stokjes versleten, en toch zegt hij nog steeds geen meneer tegen me. Sterker nog: hij zegt griezel tegen me. Of engerd. Tegen zijn eigen leraar! Onbegrijpelijk.'
'Hrum,' zei mijn vader. 'U krijgt. Nog twee weken.'
Meester Draaihals knikte dat hij het begreep.
'Ik zal extra hard aan het werk gaan,' zei hij ferm. En dat deed hij ook. Twee weken lang zwiepte hij als een dolle wildeman om zich heen. Zeven stokjes versleet hij, want hij mepte op alles wat los en vast zat, niet alleen op mij. Om precies te zijn: minder en minder op mij, want ik werd steeds kundiger in het wegduiken. Op het laatst was ik er zo goed in, dat geen enkele leerling van Meester Jynx me had kunnen verbeteren.
Dus toen de twee weken voorbij waren, ging Meester Draaihals zwetend en zenuwachtig naar mijn ouders en zei: 'Hoogwelgeboren heer, hoogwelgeboren vrouwe, met genoegen kan ik u vertellen dat het mij is gelukt uw zoon te leren wegduiken.'
'Hrum,' zei mijn vader. Hij fronste zijn borstelige wenkbrauwen. Wegduiken stond bij hem niet in hoog aanzien.
'Bovendien,' zei Meester Draaihals haastig, 'spuugt uw zoon al bijna nooit meer op de grond.'
Dat was waar. Ik spoog bijna alleen nog maar op Meester Draaihals. Ik kon hem van tien meter afstand raken in zijn rechteroog. Zelfs als hij achter mij aan kwam gerend, en ik in volle vaart over mijn schouder spoog. Ik was een grootmeester in het spugen geworden, een ware kampioen.

In de wijk Roggelenburg worden spuugkampioenschappen gehouden, waar de beste spugers van heel Duim strijden om de Gouden Slijmbokaal. Ik heb daar ooit aan meegedaan en inderdaad kwam ik in de finale. Mijn tegenstander was al vijf keer kampioen geweest; hij kon op twintig pas afstand door het oog van een naald spugen. Het publiek hield de adem in toen ik een piepklein druppeltje met grote kracht naar de naald spoog. Eerst dacht iedereen dat ik gemist had, maar toen men wat beter keek ontdekte men dat ik de naald wel degelijk geraakt had. Sterker nog: ik had dwars door het ijzer heen gespogen, zodat de naald nu een tweede oog had. Ik werd meteen benoemd tot kampioen aller tijden, en de oude kampioen moest een baantje zoeken als straatveger.

'Hrum,' herhaalde mijn vader. 'Ik ga. U ontslaan.'
Meester Draaihals zonk op zijn knieën. 'Alstublieft,' smeekte hij, 'geef me nog een kans. Ik zal uw zoontje twee weken lang vastbinden aan zijn lessenaar, zodat hij niet meer weg kan duiken. Dan kan ik hem de hele dag slaan. Als dat niet werkt, dan weet ik het ook niet meer.'
Mijn vader dacht hier even over na. Hij vond het geen slecht plan, want zo was hij zelf ook opgevoed. Gelukkig zei mijn moeder: 'Daar komt niets van in. Lieve, ik vind het vreselijk dat mijn kleine troetelkontje zo geslagen wordt. We hebben het nu een maand lang op jouw manier geprobeerd. We doen het nu op mijn manier. Die Draaihals vliegt de laan

uit en we huren mijn eigen oude leraar in om Falco les te geven. En daarmee uit.'
'Hrrrrumm,' zei de baron, want zijn vrouw had vroeger les gehad van de geleerde Aegolius. Dat was de grootste geleerde van heel Duim, en de allerbeste leraar die er te huur was. En ook de allerduurste.
'Niet zeuren, lieve. Aegolius is een fantastische leraar. Dat mag best wat kosten. Hef maar wat extra belasting of zo. Dat heb je toch wel over voor ons kleine troetelkontje?'
Ik was erg blij dat mijn moeder Meester Draaihals wilde ontslaan. Ik had het nog fijner gevonden als ze hem had ontslagen, zonder mij tot haar troetelkontje te benoemen. Maar goed, je moet niet overal een probleem van maken. Anders wordt alles maar ingewikkeld.
De barones schreef meteen een brief aan haar oude leraar. Ze smeekte hem te komen, ze beloofde hem een krankzinnig hoog salaris en dreigde van de paleistoren te springen als hij niet kwam.
De snelste koets werd op pad gestuurd om hem te halen. De geleerde Aegolius woonde ver weg, in de zuidelijke wijk Al-Hachabhar, waar hij les gaf aan de tweehonderd zonen van baron Usfura Pasja. Het zou minstens zes weken duren voordat hij bij ons kon zijn. Wekenlang werd ik doorlopend geknuffeld door de barones. Ook noemde ze mij voortdurend haar troetelkontje.
Ik wou dat mijn nieuwe leraar een beetje opschoot, dacht ik na drie weken. Anders ga ik nog terugverlangen naar die akelige Meester Draaihals.
Een vierde week ging voorbij, en een vijfde, en ik werd bijna misselijk van het geknuffel. De barones ging maar door en door. Wat vindt dat mens er toch aan, aan dat kleffe gedoe, vroeg ik me verbijsterd af.

Aan het begin van de zesde week kwam de koets terug, gelukkig. We renden naar de gouden-spijker-deur. De koets stopte onder aan de trap en er stapte een stokoude man uit. Hij had een hele lange baard en droeg een belachelijk pak. Het was oranje met paarse strepen, en de kraag was zo wijd dat hij nauwelijks door de deur van het rijtuig paste. Er zaten ronde gaten in de mouwen, waar Aegolius' knokige ellebogen door naar buiten piepten. Ook zijn knieën kon je zien.

Mijn ouders deden iets wat ik hen nooit eerder had zien doen: ze liepen de trap af om hun gast welkom te heten. Ze bogen beleefd voor de beroemde geleerde, en die boog even beleefd terug.

'Het is mij een eer u te ontmoeten, heer baron,' zei hij plechtig.

'Integendeel,' bromde mijn vader. 'De eer. Is geheel. Aan mijn kant.'

De geleerde boog nog eens. Daarna keek hij mij aan en glimlachte vriendelijk.

'Als je maar niet denkt dat ik meneer tegen je ga zeggen,' beet ik hem toe.

Aegolius fronste. 'Ik kan je niet dwingen om beleefd te zijn,' zei hij. 'Maar ik waarschuw je: als je onbeleefd bent, zijn de gevolgen voor jou.'

Hij zei het zo ernstig, dat de rillingen over mijn rug liepen.

'W-wat voor gevolgen?' vroeg ik. 'Wat gaat u dan doen, als ik geen meneer tegen u zeg?'

9 *negende hoofdstuk* **waarin ik de leerling van de geleerde Aegolius word**

‘Als jij geen meneer tegen mij zegt,’ sprak de geleerde Aegolius, ‘dan zeg ik ook geen meneer tegen jou. In dat soort dingen ben ik een keiharde kerel.’
Ik kon mijn oren niet geloven. Ik lachte me slap. ‘Is dat alles?’ vroeg ik schamper. ‘Mijn vorige leraar sloeg me bont en blauw met zwiepstokjes.’

'Een zwiepstokje,' zei Aegolius, 'geeft striemen op je billen. Maar onbeleefdheid geeft striemen op je ziel. En dat is veel erger, meneer Falco.'
Mijn hart sprong op toen hij die laatste woorden zei. Ik was het wel gewend, dat mensen mij 'meneer Falco' noemden - alle lakeien en kamermeisjes en soldaten van mijn vader deden dat. Ik hoorde de hele dag niets anders (behalve als mijn moeder troetelkontje zei). Maar al die mensen noemden me zo omdat ze dat moesten. Als ze het niet deden, zou mijn moeder hen uit hun velletje ranselen. Bij de geleerde Aegolius was het iets anders. Aegolius noemde mij meneer omdat hij me een belangrijk, interessant en aardig iemand vond. Dat hoorde ik aan zijn stem en ik zag het aan zijn ogen, aan zijn glimlach en zelfs aan zijn schouders en zijn knokige knieën. Hij was één en al welwillende aandacht. Afgezien van Ekster, die mijn beste vriend was geweest, had nog nooit iemand mij interessant, aardig of belangrijk gevonden. Ik voelde me als een bloem, die openging in de zon.
'Ik geloof,' zei ik langzaam, 'dat ik begrijp wat u bedoelt, meneer Aegolius. Maar vrienden,' (hierbij dacht ik natuurlijk aan Ekster) 'vrienden noemen elkaar toch ook geen meneer?'
De wijze knikte bedachtzaam. 'Dat is waar. Dat hebt u slim opgemerkt.'
Ik gloeide van trots, alsof de zon plotseling een heel stuk warmer was geworden.
'Als wij ooit vrienden worden,' ging Aegolius verder, 'zal ik u geen meneer meer noemen. En als u onbeleefd bent ook niet. Maar "vrienden zijn" is iets heel anders dan "onbeleefd zijn". Ik denk, meneer, dat u het verschil wel zult merken.'

Ik knikte dat ik het begreep. Ondertussen vormde zich een ijzeren voornemen in mij. Heel plotseling en heel vanzelf besloot ik de vriend van de geleerde Aegolius te worden. Opeens was er niets wat ik liever wilde, en ik zou alles doen om het te bereiken. Oh, wat verlangde ik naar de dag dat hij me geen meneer meer zou noemen! Maar dat zou nog zeven lange jaren duren.
In die zeven jaren kwam het vaak voor, dat hij me aansprak met Falco en het meneer weg liet. Maar dat deed hij dan om onbeleefd te zijn. Als hij kwaad was bijvoorbeeld, of teleurgesteld, omdat ik iets verkeerd had gedaan. Ik weet nog goed dat hij op onze tweede lesdag zag dat ik op de grond spoog.
'Dat hoor je eigenlijk niet te doen, Falco,' zei hij mild. Ik begreep meteen dat hij het "meneer" achterwege had gelaten omdat hij me minder interessant, aardig en belangrijk vond dan eerst. En wat hij voorspeld had was waar: het striemde mijn ziel. Een week lang kon ik niet slapen van verdriet. Ik lag elke nacht te huilen tot het ochtendlicht, omdat Aegolius onbeleefd tegen me was geweest. Onbeleefdheid was de enige straf die Aegolius me ooit gegeven heeft en het was de meest verschrikkelijke straf die ik me denken kon. Liever werd ik twee weken lang afgeranseld door Meester Draaihals, dan te moeten weten dat Aegolius mij niet goed genoeg vond om meneer te noemen.

Aegolius was de beste opvoedkundige die de wereld ooit heeft gekend. Zodra hij een kind zag, wist hij wat dat kind het

liefste wilde. Toen bijvoorbeeld de barones nog klein was,
zei iedereen altijd mevrouw tegen haar.
Behalve Aegolius.
Die zei alleen mevrouw als hij haar wilde straffen.
Precies het tegenovergestelde als bij mij dus.
Maar één ding was hetzelfde. Ook mijn moeder wilde niets
liever dan een echte vriend van Aegolius worden.
Ooit vroeg ik haar of dat gelukt was. 'Nee,' fluisterde ze
en ze huilde heel stilletjes, drie volle dagen lang.

Binnen een week had Aegolius me goede manieren geleerd. Na een maand waren mijn manieren zo goed, dat er mensen van heinde en verre kwamen om ze te zien. Oude lakeien, die toch heel wat gewend waren, huilden tranen van ontroering om de manier waarop ik mijn theekopje vasthield. 'Precies zoals het hoort,' fluisterden ze. 'Ach, dat we dit nog mee mogen maken.' Een sjieke oude dame, die bij mijn ouders op bezoek was en vroeg of ik een snoepje wilde, viel flauw van verrukking toen ze hoorde hoe beleefd ik zei: 'Ik hoop dat ik u niet beledig als ik weiger, mevrouw, maar het is op dit moment niet verstandig voor mij om een snoepje te eten, hoe smakelijk ze er ook uitzien.'
Alle ouders zeiden tegen hun kinderen: 'Was jij maar zo beleefd als de jonge meneer Falco.' De meeste kinderen kregen daardoor een hekel aan me. Behalve als ze me in het echt tegenkwamen, want dan stelde ik hen snel op hun gemak door even een boer of een scheet te laten. Meester Aegolius had me geleerd dat een knetterende scheet ook een vorm van beleefdheid kan zijn. Als iemand denkt: hè bah, wat een opgedirkt, veel-te-beleefd kereltje is dat, dan is het 't toppunt van beleefdheid om iets te doen wat niet hoort. De eerste regel van de beleefdheid is namelijk: zorg

dat anderen zich op hun gemak voelen, als ze bij je in de buurt zijn. Het is bijvoorbeeld buitengewoon beleefd om tegen een afschuwelijke stinkerd te zeggen: wat ruikt u lekker. Om beleefd te zijn, moet je goed kunnen liegen.
Toen er aan mijn manieren niets meer te verbeteren viel, begonnen de lees- en schrijflessen. Er kwam een grote groep verhuizers naar het paleis, met zevenenvijftig ossenkarren. Al die karren zaten tot aan de rand vol met boeken.
'Genadige hemel,' zei ik, 'moet ik die allemaal lezen?'
'Natuurlijk niet,' zei Aegolius. 'U hoeft niets te lezen, wat u niet wilt. Deze boeken zijn voor mij. Ik vind niets zo heerlijk als lezen. Behalve dan: praten met mijn vrienden, over de boeken die we hebben gelezen.'
Aha, dacht ik. Zit dat zo! Zo kan ik dus zijn vriend worden! Snel zei ik: 'Oh, ik wil zoveel mogelijk boeken lezen, en er dan met u over praten. Maar ik ken de letters nog niet eens!'
'Daar zullen we dan eens gauw iets aan doen,' glimlachte de geleerde Aegolius. Hij haalde een klein kwastje en een potje zwarte verf. Daarmee schreef hij woorden op alle dingen. En ook op mensen en dieren. Op de muren schreef hij "muur", op de lakens "laken" en op de lakeien "lakei". Het hele paleis liep hij door, en de hele tuin, en de stallen en zelfs een paar geheime, ondergrondse gangen. Hij schreef in een prachtig handschrift overal een woord op. Zelfs op mijn vader, de baron, die bij het haardvuur zat te dutten in een luie stoel.
'Ik weet niet of dat wel zo'n goed idee is,' fluisterde ik ongerust. 'Mijn vader wil niet geverfd worden, denk ik.'
'Onzin,' fluisterde de geleerde. 'Als het om lezen gaat, mag alles.' En hij schreef met sierlijke letters "Vest" op het vest van de baron.

‘Ziezo,’ zei hij. ‘Nu kunt u leren lezen. Als u de H of de P wilt weten, vergelijkt u gewoon de letters die op de Haard staan met die op het Paard. En als u de L of de R wilt weten, vergelijkt u de letters op deze Ballon met die op uw vaders voorhoofd, want daar heb ik “baron” op geschilderd. Enzovoort. Als u nog vragen heeft kunt u me vinden op mijn kamer.” Hij knikte vriendelijk en ging op zijn kamer zitten lezen.

Dit was de beroemde leesles van de geleerde Aegolius,
die door veel andere leraren is nageaapt,
omdat ze dachten dat het voor hen lekker makkelijk was.
Maar als je hem niet op precies de juiste manier uitvoert,
krijgt je leerling zo’n hekel aan lezen,
dat hij het nooit meer leert. De bekende baron
Olger de Ongeletterde heeft op die manier les gehad,
bijvoorbeeld, net als de koopman Gerrit Zonder Geld,
die door iedereen werd opgelicht omdat hij geen contracten
of prijskaartjes kon lezen.
Op die manier verloor hij in slechts drie jaar het enorme fortuin van zijn vader, Rudiger de Rijke.
Beroemd is ook de leraar Victor de Volledige.
Die wilde “broek” op een broek schrijven maar hij besloot,
voor de duidelijkheid, alles op te schrijven wat er
over die broek te vertellen viel.
Hij begon met op te schrijven hoe de schapen hadden geheten,
die de wol voor die broek hadden geleverd,
en van welke boer ze waren, en welke herder

ze geschoren had op welke dag en op welke plaats,
en dat die herder verkouden was geweest,
en wat zijn dokter voor een hoestdrank had voorgeschreven
en dat die niet had gewerkt en dat hij toen naar
een andere dokter was gegaan. Enzovoort.
Langzaam begon de leraar te beseffen dat er over een
simpele broek veel meer te vertellen valt dan je denkt.
Twintig jaar lang werkte hij aan die ene broek.
Toen hij stierf was de broek nog altijd niet af.

Intussen begonnen de mannen van de ossenkarren Aegolius' boeken uit te laden. Het waren er zo ontzettend veel dat alle gangen van het paleis bomvol met boeken kwamen te staan. Sommige gangen stonden zelfs helemaal dichtgestapeld, zodat je er niet meer door kon en grote omwegen moest maken als je van de eetkamer naar het toilet wilde komen.
'Ik denk niet dat mijn vader dit leuk zal vinden,' zei ik voorzichtig tegen de verhuizers. 'Deze gangen zijn van hem, namelijk.'
'Dat is ons probleem niet, jochie,' zeiden de verhuizers en ze vertrokken met hun zevenenvijftig ossenkarren.
Lieve help, dacht ik. Die Aegolius heeft er een potje van gemaakt. Mijn vader zal woedend zijn. Die boeken moeten hier weg. Maar eerst moet ik water en zeep halen, om de verf van vaders voorhoofd te wassen.
Helaas kon ik niet naar de badkamer. Daar stonden boeken voor. Met veel moeite tilde ik een stapel boeken van de grond. Waar moest ik die ellendige dingen laten?
Op dat moment hoorde ik mijn vader bulderen: 'HRUM! Wel hier! En ginder! Is die geleerde! Soms gek geworden!?'

IO *tiende hoofdstuk*
waarin ik zelf ook behoorlijk geleerd word

'Ik grijp hem!' hoorde ik de baron brullen. 'Ik zal hem! Leren! Mij te verven!'
'Rustig nou, lieve,' smeekte mijn moeder.
'Niks rustig! Hrum!'
Een tijdlang hoorde ik niets anders dan het getier van mijn vader en het gedonder van omvallende boekenstapels. Die geluiden kwamen langzaam mijn kant op, en uiteindelijk kwamen mijn ouders door de boeken geploeterd. De baron was paars van kwaadheid. Op zijn voorhoofd stond "baron", op zijn vest stond "Vest" en op zijn neus, in kleine maar kaarsrechte letters, "Neus".
'En hij heeft!' riep de baron. 'Je moeder! Ook bekladderd!'
'Ja,' zei de barones, 'maar aan mij heeft hij het netjes gevraagd. En van mij mocht het.' Mijn moeder was helemaal ondergeklad. Er stond niet alleen "Barones" en "Jurk" op haar, maar ook "Strik", "Schoen", "Elleboog" en "Buik". Er stond zelfs "Billen" op haar billen, wat ik persoonlijk niet helemaal netjes vond.
De baron wees er sprakeloos naar en sputterde spuugbelletjes van woede.

Volgens mij, dacht ik, voelt mijn vader zich niet helemaal op zijn gemak. Kortom, het wordt tijd voor een beetje beleefdheid. En zoals Aegolius mij heeft geleerd: het is soms heel beleefd om te liegen.
Ik zette grote, onschuldige ogen op en zei: ‘Maar vader, u bent toch helemaal niet geverfd?’
Daar raakte de baron flink van in de war.
‘He?’ vroeg hij. ‘Wie? Wat? Niet geverfd? Maar je moeder. Zei van wel.’

Het is natuurlijk niet erg beleefd, om mensen expres in verwarring te brengen, want wie in de war is, voelt zich niet op zijn gemak. Maar wie heel erg boos is, of verdrietig, voelt zich nog minder op zijn gemak. Dan is ‘in de war’ een verbetering, dus dan mag het juist wel. Het is natuurlijk ook toegestaan om mensen in de war te brengen als je in gevaar bent. Ik werd eens, in een steegje, besprongen door vijf woeste rovers. Ik had die dag toevallig mijn zwaard niet bij me; ik was dus in gevaar. ‘Je geld of je leven,’ brulden de rovers.
Ik keek hen streng aan en zei: ‘Zijn jullie daar eindelijk? Kom onmiddellijk mee. We kunnen Bloeddorstige Berend geen seconde langer laten wachten.’ Ik draaide me om en beende haastig het steegje uit.
‘Komen jullie nog?’ riep ik over mijn schouder.
De rovers bleven waar ze waren en vroegen fluisterend aan elkaar wie ik was, en wie Bloeddorstige Berend was, en wie ze zelf eigenlijk waren. Toen ik een uur later terugkwam, met de politie, stonden ze er nog steeds.

'U heeft haar vast verkeerd verstaan,' suste ik. 'Of verkeerd begrepen. Ik weet zeker dat ze iets heel anders bedoelde. Nietwaar, moeder?' Ik gaf haar een dikke knipoog, dat ze mee moest doen. Gelukkig snapte ze mijn plan.
'Oh ja, lieve,' zei de barones zenuwachtig. 'Eh... haha, dacht je heus dat Aegolius jou geverfd had? Daar is die man toch veel te verstandig voor! Ik zei ook niet dat je beschilderd was, ik zei eh... eh... iets heel anders.'
'Wat dan?' vroeg mijn vader wantrouwend.
'Eh,' zei mijn moeder, die wel lief was maar niet erg slim, 'eh... gewoon, eh...'
'Waarom kijkt u niet even in de spiegel, vader?' vroeg ik snel.
'Juist ja,' zei de baron. 'Heel verstandig. Dat doe ik.' En hij ging op zoek naar een spiegel. Dat was niet eenvoudig, want voor alle badkamers lagen boeken.
Onmiddellijk riepen mijn moeder en ik alle lakeien bij elkaar.
'Snel!' riep ik. 'Ren door het paleis en laat alle spiegels kapot vallen. Zogenaamd per ongeluk, natuurlijk. De baron mag geen enkele spiegel te zien krijgen.'
'Geen enkele, begrepen?' sprak de barones op hoge toon. 'Als hij ontdekt, dat hij geverfd is, zal ik jullie uit je velletjes ranselen tot je botjes ervan rammelen. Begrepen?'
De lakeien knikten. Ze begrepen het. Haastig baanden ze zich een weg door de boeken. Omdat ze met meer waren dan de baron, en bovendien beter de weg wisten in het paleis, slaagden ze erin alle spiegels te slopen. De baron begreep er niets van. 's Nachts, toen hij sliep, heeft mijn moeder heel voorzichtig de verf van hem afgewassen, met zeep en terpentine. Hij heeft nooit zeker geweten of Aegolius hem nou beschilderd had of niet. Wel had hij sinds die dag een hekel aan mijn leermeester. Gewoon voor de zekerheid.

Voor de boeken lieten we een extra stuk aan het paleis bouwen, met twaalf grote kamers. Het waren erg dure kamers, met marmer op de vloeren en kasten van zeldzaam hout. De belastingen in de wijk moesten alweer worden verhoogd, en de mensen waren ontevreden. Iedere avond zat mijn vader aan tafel zachtjes te mopperen en nijdig te kijken naar de geleerde. Die deed heel beleefd alsof hij niets merkte, en babbelde met mij over boeken.
Want lezen, dat had ik al snel onder de knie. Dat kon ik inmiddels uitstekend. Binnen een maand las ik met gemak de moeilijkste boeken, geschreven door de knapste koppen, met woorden erin van soms wel veertig letters lang. Over die boeken had ik lange gesprekken met mijn meester. Hele geleerde gesprekken waren dat, waar ik veel van opstak. Maar we waren nog steeds geen vrienden.
Mijn vader vond al die geleerdheid maar flauwekul.
'Een baron,' mopperde hij. 'Hoeft niet. Veel te weten. Een baron moet. Belasting kunnen heffen. En de wet. Moet hij begrijpen. Hrum. Verder mag hij. Dom zijn. Kijk naar mij! Ben ik slim?'
'Zeker niet, lieve,' zuchtte de barones. 'Zeer, zeer zeker niet.'
'Nou dan,' zei de baron tevreden. 'Hrum. Het wordt. Hoog tijd. Dat onze jongen. Andere dingen leert. Schieten, bijvoorbeeld. En zwaardvechten. Een goede baron. Kan jagen. En schermutselen. En zo. En oorlogen winnen. Een baron. Moet heldhaftig zijn. En dat. Kan een geleerde. Je niet leren. Dat kun je. Alleen maar leren. Van een held.'
Daarom liet mijn vader een nieuwe leraar komen. Het was Hendrik Houwdegen, de allergrootste oorlogsheld van Duim. In de Slag om het Westerkwartier had hij een bruggetje verdedigd tegen tweehonderd soldaten. In zijn eentje.

Terzijde

Zelf heb ik ooit vijfhonderd vijanden tegelijk gevangen
genomen, met als enige wapen een nagelschaartje.
Met het schaartje knipte ik mijn rode uniformjas aan stukken,
en ook mijn hoed en mijn pruik.
De snippers en flarden legde ik op een handige manier
achter de ramen van de huizen aan een groot plein,
zodat het net leek of er achter ieder raam
een goed verborgen vechtjas stond te wachten.
Daarna lokte ik de vijfhonderd vijanden naar dat plein toe.
Zodra ze daar aankwamen schreeuwde ik hen toe
dat ze omsingeld waren.
Ze keken om zich heen, zagen overal
glimpen van uniformen en geloofden me.
Ze lieten hun wapens vallen en gaven zich over.
Dit alles lag natuurlijk nog ver weg in de toekomst.
Op het moment, dat mijn vader een leraar voor mij zocht,
was Hendrik Houwdegen nog onbetwist
de grootste held van Duim.

Het duurde twee weken voordat Hendrik Houwdegen er was, want hij moest helemaal uit het Westerkwartier komen. Hij kwam aan in een strenge, donkergrijze koets, midden in een wilde stormnacht. De lucht was zwart als inkt, regendroppels zo groot als kindervuisten vlogen her en der, en voortdurend kletterden bliksems neer. Voor de koets reden zeven zware huzaren, en erachter een kar met een kanon. Onder aan de grote paleistrap stopte de koets, en de voorste huzaar stapte van zijn paard om op zijn hoorn

te blazen. Hij blies luider dan de donder.
'Generaal Hendrik Houwdegen,' brulde de huzaar, en zijn zes kameraden tikten met hun hand aan hun muts. De reusachtige deuren van de koets zwaaiden knarsend open en uit het duistere binnenste kwamen twee heel kleine laarsjes. Gevolgd door twee korte, smalle beentjes in een grijze uniformbroek. Daarna een kanjer van een geweer, een geweldige sabel en een rood uniformjasje tjokvol met medailles. Ten slotte een rood, rond hoofdje met een grote berenmuts.
Generaal Houwdegen was een heel, heel klein kereltje.
Hij klauterde zijn koets uit en kwam de torenhoge trap op, gevolgd door de zeven zware huzaren. Boven aan de trap stonden wij te wachten. Mijn vader, mijn moeder en ik. Mijn vader maakte een stramme soldatenbuiging en zei: 'Wij zijn. Zeer vereerd. Met uw komst.'
'Mooi, mooi,' piepte het kereltje. 'Ik hoop maar, dat ik kan helpen. Met een opleiding moet je eigenlijk vroeg beginnen. Heel vroeg; anders leren ze geen gehoorzaamheid. Als ze kunnen lopen ben je eigenlijk al te laat, want dan kunnen ze weglopen. Maar ik zal zien, wat ik kan doen.'
Houwdegen wendde zich naar mij. Hij ging op zijn teentjes staan, zodat hij mij in de ogen kon kijken, en fronste zijn wenkbrauwen. Zijn ogen waren fel en blauw. Zo streng waren zijn ogen, zo hard en zo koud, dat ik vanzelf netjes rechtop ging staan, met mijn kin naar voren en mijn handen tegen mijn broek. De generaal snoof. Ik ging nog strammer staan, zo recht en zo stijf als een plank.
'Zozo,' piepte de generaal. 'Ik zie het al.'
'Wat?' vroeg mijn vader haastig. 'Wat ziet u?'

11 *elfde hoofdstuk* **waarin ik een stoere vechtjas word**

'Deze knaap,' zei Generaal Houwdegen, 'heeft talent. Zeer veel talent. Ik hoef maar naar hem te kijken, en hij gaat keurig in de houding staan. Zo hoort het! En weet u, waarom hij dat doet? Omdat hij in zijn hart een soldaat is, meneer, net als ik. Daarom begrijpen wij elkaar, zelfs zonder woorden. Waar of niet, jongen?'

'Jawel, generaal,' zei ik, en dat deed het kleine mannetje allemachtig veel plezier. Maar het was niet waar. In mijn hart was ik geen soldaat. In mijn hart was ik een edelman. Een baron. En niet zomaar één. In mijn hart was ik de beste baron aller tijden. De volmaakte edelman. En een goede baron moet de krijgskunst beheersen; daarom moest ik goede vrienden worden met deze vechtmeester.
De volgende ochtend stond ik al te wachten in de oefenzaal, toen Generaal Houwdegen naar binnen kwam getrippeld. Hij sleepte zijn gigantische sabel achter zich aan en geeuwde. Zonder mij op te merken begon hij kniebuigingen en strekoefeningen te doen. Het ging maar door en door en na een tijdje begon ik me te vervelen. Ik kuchte zachtjes, om te laten merken dat ik er was. Het generaaltje sprong van schrik een eind de lucht in, wat er heel grappig uitzag. Maar ik lachte er niet om, want midden in de sprong had Houwdegen zijn grote sabel getrokken en hem in mijn richting geslingerd. Hup, over zijn schouder. Het ding vloog rakelings langs mijn hoofd en bleef steken in de muur, waar het tot aan het handvat in verdween.
'Kijk,' piepte Hendrik Houwdegen, 'dit was natuurlijk maar een waarschuwing. Als je een vijand was geweest, had ik je de kop gekliefd. Les één: altijd opletten. Goed. Breng me mijn sabel even, wil je?'
'Jawel generaal,' mompelde ik, nog helemaal bleek en trillerig. Ik pakte het gevest en trok zo hard ik kon. Maar het ellendige ding kwam geen centimeter van zijn plaats. Het zat muurvast.
Het generaaltje klakte met zijn tong, dribbelde mijn kant op en pakte zijn sabel vast. Hij spande zijn spieren en zijn rode hoofd werd nog een klein beetje roder. Met een sierlijke boog trok hij het wapen uit de muur.

'Jij hebt nog veel te leren, jongeman,' zei hij. 'Maar we beginnen bij het begin. Ga jij maar eens netjes in de houding staan.'
Ik ging zo keurig mogelijk rechtop staan. Hoofdschuddend liep het generaaltje om me heen. 'Het is een begin,' zuchtte hij, 'maar veel is het niet. Leg je pink eens precies op de naad van je broek?'
'Ik heb geen pink,' zei ik.
'Drommels, je hebt gelijk. Nou, leg dan je ringvinger vlak naast de naad van je broek. Zo ja. Beter, veel beter. Nu je kin iets meer daarheen. Nee, niet teveel. Zo ja. Schouders naar achteren...' Hij bleef maar om me heen draaien, de aanwijzingen waren eindeloos, tot er na een uur geen haartje meer verkeerd zat.
'Heel goed,' zei hij toen. 'Voortaan moet je precies zo gaan staan als er iemand "In de houding!" roept. Begrepen? Ja, je mag knikken. Mooi zo. Dan ga ik je nu leren hoe je moet staan bij het bevel "Op de plaats, rust!" Dat is weer heel anders namelijk.'
Die dag leerde ik vijf manieren van staan en drie manieren van groeten. Op 't laatst oefenden we wel een uur lang. Telkens riep Hendrik een bevel ("Presenteer geweer!" "Saluut!") en dan moest ik de juiste houding of groet laten zien. Die avond was ik op een vreemde manier moe. Ik was uitgeput, alsof ik de hele dag hard gerend had, of met gewichten gesjouwd. Maar mijn spieren deden helemaal geen pijn, en ik was helemaal niet stram of stijf. Ik voelde me sterk en gezond.
Elke dag oefenden we alle houdingen. Uren achter elkaar. Ik verveelde me suf, en ik kon niet wachten tot de vechtlessen eindelijk zouden beginnen. Maar ik klaagde geen moment. Dankzij mijn tijd met de geleerde Aegolius wist

ik dat eigenaardige lessen soms tot bijzondere resultaten konden leiden.
Na een maand kwam Hendrik Houwdegen op me af met een loden staaf.
'Let op,' piepte hij, en hij boog de staaf zonder moeite krom. Ik kon mijn ogen niet geloven. Wat een kracht zat er in dat ventje! Even gemakkelijk boog hij de staaf weer recht.
'Nou jij,' knikte hij, en gaf het ding aan mij. Somber staarde ik naar de staaf. Wilde Hendrik me soms laten voelen hoe moeilijk het was om zo'n ding te verdraaien? Zodat ik des te beter zou begrijpen hoe sterk Hendrik was? Nou, dat wist ik al heel goed, sinds die geschiedenis met die sabel.
'Buig die staaf,' beval Hendrik.
Ik boog de staaf.
Kletterend liet ik het gevaarte uit mijn handen vallen. Daar lag het op de grond, volkomen krom. En dat had ik gedaan! Als iemand me had verteld dat ik dat kon, had ik hem niet geloofd. Zo ongelooflijk sterk waren mijn spieren geworden, door de eenvoudige houdingsoefeningen van Hendrik Houwdegen.

Zo heel eenvoudig waren die oefeningen natuurlijk ook weer niet. Ooit heb ik zelf eens geprobeerd een troep soldaten sterke spieren te geven met Hendriks houdingen. Wat er precies verkeerd ging weet ik niet, maar de soldaten kregen helemaal geen sterke spieren. Sterker nog: ze kregen spierpijn,

en ze werden zo stram en stijf als planken.
Ze konden geen vinger meer verroeren.
Bij sommigen van hen duurde het drie maanden voor ze
zich weer konden bewegen.
Bij drie arme drommels was het nog erger:
die hebben de hele rest van hun leven
stijf rechtop in de houding gestaan.
Af en toe kwamen ze goed van pas, als kapstok,
maar zielig was het wel.

Bovendien, en dit is nog veel wonderlijker, was ik ook zeer lenig geworden. Zo kon ik bijvoorbeeld met mijn rechter oor mijn linker knieholte aanraken. Er zijn niet veel mensen, die dat kunnen. Hendrik Houwdegen deed het zelf natuurlijk met gemak, net als zijn zeven huzaren, maar verder heb ik nooit iemand ontmoet, die het kon. Ik was erg blij, dat het mij lukte, en die avond liet ik trots mijn kunstjes zien aan de geleerde Aegolius.
Die keek mij lang en peinzend aan. Uiteindelijk zei hij: 'Dat was heel knap van u, jonker Falco. Mocht u ooit in een gevecht terechtkomen, dan zult u zeker al uw vijanden verslaan, door uw rechter oorlelletje tegen uw linker knie te houden. Die tweehonderd soldaten, die die brave Hendrik destijds heeft verslagen - heeft hij die overwonnen door tweehonderd keer zijn oor in zijn knie te leggen? Of heeft hij u dat niet verteld?'
Ik begon een beetje te blozen, want ik bedacht me nu pas dat het niet zo heel erg nuttig is, om je oor tegen je knieholte te houden.
'En,' ging Aegolius onverstoorbaar verder, 'als ik ooit nog een loden staaf tegenkom, die ik kromgebogen wil hebben, dan zal ik zeker aan u denken. Op dit moment kan ik me

niet voorstellen wat ik met een kromme loden staaf zou moeten doen, maar je weet maar nooit, en ik zal zeker aan u denken.'
De volgende dag, toen generaal Houwdegen de oefenzaal binnenkwam, vroeg ik hem: 'Ik hoop dat ik u niet kwets met mijn nieuwsgierigheid, maar ik zou bijzonder graag willen weten wat ik er eigenlijk aan heb, dat ik mijn oor in mijn knieholte kan verstoppen. Ik ben u uitermate dankbaar voor de uitstekende training, maar... wat koop ik voor een krom stuk lood?'
Het rode hoofdje van de generaal werd zo bleek als sneeuw. De lippen werden twee witte streepjes.
'Wat hoor ik?' beet hij me toe. 'Een vraag? Bah! Soldaten stellen geen vragen. Soldaten doen zonder aarzelen wat hun gezegd wordt. Je hebt geluk dat we hier niet in het leger zijn, anders had ik je in de ijzers laten smijten. Ik heb me ernstig in je vergist.' Hij draaide zich op zijn hakken om en marcheerde de kamer uit. Zonder me nog één keer aan te kijken.
De hele verdere dag bleef hij op zijn kamer, en de rest van de week deed hij oefeningen met zijn zeven zware huzaren. Ik mocht niet meedoen.
'Nee hoor,' piepte Hendrik hooghartig. 'Oefeningen zijn voor soldaten. Niet voor vervelende vragenstellers. Kom jongens, we gaan lekker door de muur heen trappen.'
Daar gingen ze, met z'n achten, en ze trapten gaten in de bakstenen muur van de oefenzaal. Ze hadden ontzettend veel pret. Ze lachten en gilden en spuugden stukjes baksteen naar elkaars hoofd. Ik zat zuchtend bij de deur eenzaam te wezen. Ik bladerde in geleerde boeken met heel ingewikkelde woorden, maar ik kon mijn hoofd er niet bijhouden. Het plezier van Hendrik en zijn huzaren was veel

te lawaaiig. Uiteindelijk ging ik maar weg, om met Aegolius te praten. Mijn geleerde meester knikte tevreden toen ik binnenkwam, en we spraken over heel interessante dingen. Toch verlangde ik stiekem naar de stoere spelletjes van de huzaren. Bovendien begon ik, na een paar dagen, mijn spierkracht en lenigheid te verliezen. Ik kon mijn oor niet meer in mijn knieholte krijgen en ook het verbuigen van loden staven ging niet helemaal meer zonder moeite.

Dit was een groot nadeel van Hendriks oefeningen.
Ze verloren heel snel hun effect.
Het ergste is dat je, als je niet genoeg oefent,
zelfs zwakker kunt worden dan je was
voordat je met oefenen begon.
Er zijn tijden geweest dat ik te druk was om dagelijks
een uurtje te oefenen, en altijd verloor ik
dan mijn buitengewone spierkracht.
Een keer, toen ik door koortsen een maand op bed
had gelegen, was ik zelfs zo zwak
geworden dat ik niet meer uit bed kon stappen.
Ook kruipen lukte me niet. Ik moest rollen, zoals baby's doen.
Het duurde twee volle maanden voor ik weer staven
kon buigen.

Aan het einde van de week ging ik voor Hendriks deur liggen, en ik smeekte hem de hele nacht of hij me weer les wilde geven. Ik beloofde dat ik hem nooit meer vragen zou stellen en altijd als een goed soldaat zou gehoorzamen. Daar was hij tevreden mee. We gingen weer samen oefenen en na een maand was ik sterk genoeg om volwassen eiken uit de grond te trekken. Dat deden we niet vaak, natuurlijk, want mijn vader was erg gehecht aan de eiken in zijn tuin en het is makkelijker om een eik uit de grond te trekken, dan hem er weer in te krijgen. (De wortels knakken steeds dubbel).

Natuurlijk deden we niet alleen kapotmaakspelletjes. Hendrik en zijn huzaren leerden me alles wat een soldaat moet weten. Ik kon zwaardvechten met alle soorten zwaarden, worstelen, boksen, paardrijden, vechten met mes en bajonet, bevelen geven, bevelen gehoorzamen en sluwe krijgslisten verzinnen.

'Jongen,' zei generaal Houwdegen, 'ik ben trots op je. Je bent nu bijna een volmaakte soldaat. Je hoeft nog maar één ding te leren.'

'Wat dan, generaal?'

'Wat denk je? Schieten, knul! Schieten!'

12 *twaalfde hoofdstuk* **waarin ik een fanatiek jager word**

Ik wil niemand vermoeien met verhalen over de schietlessen van Hendrik Houwdegen. Ze waren net zo ongewoon als zijn andere lessen. Of als de leeslessen van de geleerde Aegolius. Ze hadden ook net zulke verbluffende resultaten: binnen een paar weken was ik een volleerd scherpschutter, die met zijn ogen dicht een mug kon raken op honderd pas afstand.

Er zijn mensen die zeggen dat het geen enkel nut heeft om met je ogen dicht op honderd pas afstand een mug overhoop te knallen. Kleinzielige, jaloerse mensen zijn dat. Het zijn duidelijk mensen die nooit een nachtelijke tocht hebben gemaakt door de moerassige parken van het zuidwesten, waar muggen wonen die je besmetten met de vreselijke ziekte die malaria genoemd wordt. Ik wandelde daar ooit door het gitzwarte duister met de jonge hertogin van Barrio Sur, die beeldschoon was maar niet erg slim en die dan ook binnen de kortste keren verdwaalde. Al snel hoorde ik haar gegil: zij was honderd meter bij mij vandaan en werd bedreigd door zo'n gevaarlijke malariamug. Ik aarzelde geen moment, maar schoot het ondier dwars door zijn linkeroog. De hertogin was mij heel dankbaar. Ze liet het beest opzetten en op een gouden voetstuk monteren om het mij cadeau te doen. Ook wilde ze met mij trouwen, maar daar begin ik niet aan anders willen ze allemaal.

Ik had dolgraag mijn nieuwe schutterskunsten vertoond in een heuse oorlog, maar helaas was er geen enkele oorlog in buurt. Daarom kocht ik voor heel veel geld een paard, en wel het beroemde paard Gierzwaluw. Er was geen sneller paard te vinden in heel Duim. Zijn vacht glansde als een zwarte parel. Met Gierzwaluw ging ik elke dag uit jagen in het park rond mijn vaders paleis. Dat park was zo groot, dat je er een halve dag kon wandelen zonder de rand te bereiken. Er woonden herten, hazen, vossen, fazanten en everzwijnen. Speciaal voor de jacht waren zij naar het park gebracht, want baronnen en hertogen vinden het heerlijk om op dieren te schieten.
Ik nodigde dikwijls edelen uit om mij gezelschap te houden. Ze kwamen graag, want de tuin van baron Falco was wijd en zijd beroemd en bovendien was er na elke jachtpartij een groot feest. Met veel eten en drinken. En muziek om op te dansen. Op die feesten verbaasde ik iedereen door mijn goede manieren en mijn enorme geleerdheid. Men prees mijn gespierde armen en mijn nimmer falend schot. Kortom, ik was de populairste jonker uit de verre omtrek en alle dames wilden met mij dansen. Dansen had ik nooit geleerd, maar het bleek niet moeilijk en ik had er aanleg voor. Al snel werd mijn voortreffelijke dansstijl nog meer geroemd dan mijn nimmer falend schot. Er kwam geen eind aan de feestvreugde.
Zelfs niet toen mijn vader op een dag tegen mij zei: 'Dat feesten. Moet maar eens. Afgelopen zijn.'
'Het is te duur,' legde mijn moeder fluisterend uit. Ze keek zorgvuldig om zich heen, om te zien of er echt niemand was die haar horen kon. Ze bloosde van schaamte.

Mijn moeder vond het een schande, dat ze over geld moest spreken. Er was niets wat de edelen van Duim zo gruwelijk vinden als dat. Als bekend werd dat er in ons huis over geld werd gepraat zou er geen enkele edelman meer op bezoek komen. Zelfs woorden als 'kopen' of 'verdienen' willen echte edellieden niet zeggen, of horen. Beroemd is het verhaal van graaf German, die aan een vriend zijn paleis wilde verkopen. Die vriend had het paleis best willen kopen, maar ze durfden geen van beiden de woorden 'kopen' of 'verkopen' uit te spreken dus het ging niet door. Ten slotte besloot German het kasteel aan zijn vriend te geven. Sindsdien droeg hij de bijnaam: German de Gulle. Enkele jaren later stierf hij. Aan een gebroken hart, zeiden de edelen van Duim, maar iedereen wist dat het de honger geweest was, omdat hij geen geld meer had om eten te kopen.

'We moeten steeds maar nieuwe beesten kopen, zodat jij ze dood kunt schieten. De zwijnenfokkerijen draaien op volle toeren en een fatsoenlijke fazant is bijna nergens meer te krijgen. En dan die feesten, drie keer per week! Eten en drinken voor driehonderd man, orkesten inhuren en zo - dat kost wat, hoor!'
'Nou en?' vroeg ik ongeïnteresseerd.
'Het volk mort,' bromde mijn vader.
'Ze zijn boos over de belastingen,' vulde mijn moeder aan. 'De belastingen gaan elke week weer verder omhoog. En al dat geld gaat naar jouw feesten en jachtpartijen.'
Ik haalde mijn schouders op. 'Het is toch normaal, dat onderdanen belasting betalen? Daar zijn het onderdanen voor. Als ze dat niet bevalt, kunnen ze toch gewoon baron

worden...?' Bijna had ik eraan toegevoegd '... net als ik,' maar ik kon op tijd op mijn tong bijten. Ik was er weliswaar trots op dat ik mijn hoge positie te danken had aan mijn eigen snelle verstand (en een klein, broodnodig leugentje), maar het zou dom zijn om erover op te scheppen tegen mijn zogenaamde ouders. Vooral over dat leugentje. Nee, dat konden ze beter niet weten. Anders werd alles maar ingewikkeld.
Mijn moeder glimlachte fijntjes. 'Niet iedereen kan baron worden, jongen. Dat kan alleen als je vader er ook één is.'
Hier wist ik dus een antwoord op, maar ik was verstandig genoeg om mijn mond te houden. Intussen bracht mijn vader het gesprek weer terug op zijn zorgen.
'Volk dat mort. Wordt. Volk dat muit,' zei hij somber. 'Dat is. Al vaker gebeurd. Drie jaar geleden. Is mijn neef. Door opstandige onderdanen. Onthoofd.'
'Dat was Vladimir de Onvriendelijke, de graaf van Overbosch,' vertelde de barones. 'Overbosch is een afgelegen wijk, waar het volk bijgelovig en gemeen is. Maar zoiets zou ook hier kunnen gebeuren!'
'Nou, goed dan. Dan geef ik voortaan geen feesten en jachtpartijen meer. Dan zal ik wel eenzaam in het paleis gaan zitten kniezen. Jammer hoor. Ik had toch zo gehoopt dat jullie me een leuke tijd zouden gunnen, na alles wat ik heb meegemaakt...' Ik liet mijn onderlip trillen en mijn stem was hees. Alsof ik elk moment kon gaan huilen.
Mijn ouders riepen onmiddellijk dat ze het zo niet hadden bedoeld en dat het allemaal wel meeviel. Ik zette het op een zeuren, zij op een zaniken, en toen we daar geen zin meer in hadden maakten we een afspraak. Ik mocht nog wel feesten houden, maar ik zou geen beesten meer bestellen voor de jacht.

'In plaats daarvan,' zei ik, 'zal ik voortaan de wijk in gaan. Op ratten en duiven jagen.'
'Jongen toch,' zei mijn moeder, 'zou je dat nou wel doen? Die beesten zijn gevaarlijk!'

Duiven die in het bos leven, zijn meestal niet zo heel groot.
Hun soortgenoten uit de stad zijn veel groter.
Dat weet iedereen die wel eens duiven heeft gezien op de pleinen van Londen of Amsterdam. Bij ratten is dat ook zo.
En hoe groter de stad, des te groter het ongedierte.
Je kunt je dus voorstellen dat in Duim, die onafzienbaar gigantische stad, de beesten werkelijk reusachtig zijn.
De ratten van Duim zijn groter dan de grootste hond, en ik heb duiven gezien die een os in stukken konden scheuren.
Dat moesten ze ook wel, want zulke grote vogels hebben niet genoeg aan een paar maïskorreltjes.

'Dat is niet gevaarlijk,' zei ik. 'Dat is juist leuk! Veel spannender dan wilde zwijnen en zo.'
Dat meende ik echt. De dieren uit het park waren door mensen gefokt en werden elke dag gevoerd. Erg wild kon je ze niet meer noemen. De everzwijnen kwamen kwispelend op je afgehuppeld, in de hoop op een pinda. Dat is makkelijk schieten natuurlijk, maar opwindend is het niet.
Op duiven en ratten jagen was veel leuker, dat vonden mijn jagersvrienden ook. Te paard stoven we door de sloppen, met jachthonden en hoornblazers. Nu eens gleden onze paarden bijna uit over de vuiligheid in de goten, dan weer

reden we een marktkraampje omver. Of dwars door een krakkemikkig huisje. Of we moesten zwenken als er een kind de straat op rende. Er kon van alles gebeuren; veel meer dan in het park. En de ratten waren wild, sluw en fel. Nooit zal ik de monsterlijke rat vergeten die, in het nauw gedreven, een paard in één keer de strot doorbeet.
Niemand versloeg meer van deze monsterlijke wezens dan ik. Of het moest mijn leraar Hendrik Houwdegen zijn. Het generaaltje had een gigantisch paard gekocht, zodat hij boven iedereen uitstak al was hij de kleinste van allemaal. Dat paard liep met zijn lange benen zo snel als de wind. Alleen ik kon hem bijhouden, op het ongelooflijke paard Gierzwaluw.
Door deze nieuwe manier van jagen hoefden de belastingen niet verder omhoog. Bovendien ruimden we gevaarlijke beesten uit de weg. Toch bleef het volk morren; vooral de mensen die in de krakkemikkige huisjes woonden waar we dwars doorheen galoppeerden.
'Kunnen we die mensen geen geld geven?' vroeg ik aan mijn vader. 'Dan kunnen ze nieuwe huisjes bouwen. Hoeven ze ook niet meer te zeuren.'
'Nee,' zei mijn vader somber. 'Dat kan niet. Want anders. Moeten de belastingen. Weer omhoog.'
Het volk bleef dus ontevreden. Misschien zou het wel in opstand gekomen zijn, als ik niet toevallig een oplossing had gevonden.
Die oplossing had te maken met één van de geleerde gesprekken die ik met Aegolius had. Ik ging nog steeds elke dag een paar uur bij hem langs. Dan spraken we heel geleerd over boeken en ingewikkelde dingen.
Op een dag vroeg ik hem voorzichtig waarom hij zulke eigenaardige pakken droeg. Want dat deed hij. Zijn kleren

hadden de meest ijselijk vloekende kleuren, die je je maar denken kunt, en de meest buitenissige versieringen. Hij had niet alleen pofmouwen en pofbroeken, maar ook pofkragen, pofkousen en pof-alles, tot aan pofhoeden toe. Zijn jassen waren soms zo lang dat ze meters achter hem aan sleepten, soms zo kort dat je ze onder zijn oksels moest zoeken. Op allerlei plekken zaten linten, strikjes, roesjes en kant, altijd heel groot of juist heel klein. Je kunt dus begrijpen dat ik vroeg: 'Meneer Aegolius, het spijt mij dat ik u een vraag moet stellen die u misschien kwetst. Het is zeker niet mijn bedoeling om u verdriet te doen, maar ik ben toch zo benieuwd waarom u van die opvallende kleren draagt.' Je ziet trouwens wel hoe beleefd ik geworden was.
De geleerde Aegolius glimlachte tevreden.
Achteloos zei hij: 'Oh, dat is gewoon de laatste mode.'
'Maar waarom is de mode steeds zo mal?' vroeg ik. 'Er zitten kleren bij waar u zelf over struikelt, en pakken waarin u rilt van de kou, en de meeste zijn na een maand al helemaal versleten en kapot.'
De geleerde Aegolius begon te glunderen. 'Ik ben heel blij dat u dat vraagt, meneer Falco. Want u bent niet alleen heel beleefd, maar u kunt ook verstandige vragen stellen. En alle geleerdheid begint met het stellen van de goede vragen.'
Hij kneep zijn ogen tot spleetjes en staarde naar het plafond. 'Het is natuurlijk wel de bedoeling, dat er op die goede vragen ook de juiste antwoorden komen...' mompelde hij. Hij aaide zachtjes over zijn baard en leunde achterover. Na een tijdje begon hij heel zachtjes te snurken en wie hem niet beter kende, zou denken dat hij in slaap gevallen was. Maar ik wist dat hier de grootste geest van de ganse stad waanzinnig hard aan 't werk was.

13 *dertiende hoofdstuk* **waarin ik een modeontwerper word**

Plotseling sprong de geleerde Aegolius overeind.
'Ik heb het,' riep hij. 'Ik begrijp het helemaal, van A tot Z, van top tot teen, of liever gezegd: van schoenzool tot hoedenpluim.' Hij wreef zich vrolijk in de handen en ging op

zoek naar papier, en een ganzenveer. Als een razende begon hij zijn gedachten op te schrijven, en tegelijkertijd vertelde hij ze aan mij.
'Waarom is de mode zo mal? Met elk nieuw seizoen worden de pakken potsierlijker. En het gekke is: hoe krankzinniger de kleren, hoe meer ze kosten. En daar zit 'm de kneep: het gaat om het geld!
Kijk, het is heel simpel. Waar dienen kleren voor? Om warm te blijven, zou je zeggen. Dat ligt voor de hand. En meestal is het ook zo. Maar dat modieuze spul dient een heel ander doel, namelijk: te laten zien hoe rijk je bent.
Rijke mensen worden bewonderd, dus wie geld heeft, wil het aan iedereen laten zien. Daarom trekt hij dure kleren aan. Die kleren worden gemaakt door beroemde kleermakers, van bijzondere stoffen, zijde en zo. In felle kleuren, die veel verf kosten. Allemaal hartstikke duur.
En dat is nog maar het begin!
Want die kleren zijn dun, en ze laten je buik bloot, of je knieën of je kuiten, kortom: het zijn koude kleren. En wie koude kleren draagt laat aan iedereen zien: ik hoef mijn huis niet uit, ik kan lekker warm binnenblijven. Ik hoef nooit ergens heen, want ik laat alles en iedereen naar mij toe komen.
En die kleren zijn ontzettend onhandig, met lange linten en fladdermouwen en zo, zodat je er onmogelijk in kunt werken. Dat is natuurlijk de bedoeling, want dan ziet iedereen dat je niet hoeft te werken voor de kost.
Nou begrijpt u zeker ook wel waarom al die kleren zo zijn gemaakt, dat ze heel snel verslijten.'
Ik hoefde maar heel even na te denken. Voorzichtig vroeg ik: 'Is dat soms om te laten zien dat je elke maand nieuwe, dure kleren kunt kopen?'

'Inderdaad, meneer Falco,' zei Aegolius. 'Uw denkvermogen gaat goed vooruit, als ik het zeggen mag. Het doet me veel plezier, dat u zo'n snelle leerling bent.'
Mijn hart sprong rond als een lammetje in de wei, zo blij was ik met de lof van mijn leraar. Die avond kon ik niet in slaap komen. Ik lag te piekeren over manieren om een nog snellere leerling te worden, en mijn meester een nog groter plezier te doen. Nog verstandiger vragen moest ik stellen, nog slimmere opmerkingen maken!

Het lijkt misschien vreemd, dat een kind zo
ongelooflijk dol is op zijn leraar.
Maar alle mensen willen vrienden hebben,
het doet er niet toe wat voor vrienden.
Ik heb eens een zeeman gekend die serieus geprobeerd heeft
om vrienden te worden met een kokospalm.
Dat was namelijk het enige levende wezen dat hij vond,
op het eiland waar hij schipbreuk had geleden.
Toen hij gered werd was hij zo gehecht geraakt aan zijn palm,
dat hij haar uitgroef en meenam.
Hij liet een enorme stenen pot voor haar maken
en weigerde ergens heen te gaan zonder zijn boom.
Dat wil zeggen dat hij altijd buiten moest slapen,
want de palm was twaalf meter hoog en paste door
geen enkele deur. In vergelijking daarmee was mijn
vriendschap met Aegolius volkomen normaal.
Natuurlijk had ik ook een heleboel vrienden van mijn

jachtpartijen en feesten, maar vergeet niet:
ik ben een heel bijzonder iemand. En bijzondere mensen
hebben ook bijzonder veel vrienden nodig.

Maar niemand begrijpt alles van zichzelf, en in een verborgen hoekje van mijn achterhoofd was ik bezig met iets heel anders. Met een plannetje dat mij, als het goed ging, roem en rijkdom op zou leveren. Ja, roem en rijkdom, en dat is bepaald niet hetzelfde als slimheid of verstand.

Het was een heel eenvoudig plan. 's Morgens legde ik het voor aan de geleerde Aegolius.

'Meester,' zei ik, 'u heeft gisteren ontdekt waar de mode voor dient. Nu we dit weten, kunnen we toch modeontwerpers worden? We kunnen zelfs de grote modekoningen van Duim worden, want wij weten waar de mode voor dient, en al die anderen niet. Die zitten maar een beetje in het wilde weg te ontwerpen, die rommelen maar wat aan! Als wij, met onze wetenschappelijke methode, aan de slag gaan, dan kunnen al die kleermakende krabbelaars wel inpakken. We weten nu hoe het werkt - waarom doen we daar niks mee?'

De geleerde streek peinzend over zijn baard. 'Omdat sommige mensen weters zijn,' zei hij ten slotte, 'en anderen zijn juist doeners. Hoe meer je weet, hoe minder je doet. En omgekeerd.'

'Maar kan het niet half om half? Dus dat je de ene helft van de dingen weet, en de andere helft van de dingen doet? Eh, wacht even, ik zeg het verkeerd, zo slaat het nergens op, ik bedoel, eh...'

'Ik weet wel wat u bedoelt,' glimlachte Aegolius. 'En het antwoord is: ik ben een weter, voor de volle honderd procent. Het liefste zou ik alles weten en helemaal niets doen.

Die keuze heb ik al lang geleden gemaakt. Maar wat *u* doet, moet u natuurlijk zelf weten.'
Uitstekend, dacht ik, en nog dezelfde dag sloeg ik aan het ontwerpen. Ik tekende en tekende en na drie dagen was ik klaar. Ik had een herenpak en een damesjurk bedacht. Bovendien had ik ze een naam gegeven: FalCostuums. Want een kostuum is een pak en Falco, dat ben ik. Of nou ja, eigenlijk ben ik Falco niet - mijn oude vriend Ekster is de echte Falco. Maar over dat soort dingen moet je niet moeilijk doen. Anders wordt alles maar ingewikkeld.
Als Aegolius' ideeën klopten, zouden mijn FalCostuums een groot succes worden. Vol verwachting ging ik op zoek naar een kleermaker. Ik vond er een in een armoedig achterafstraatje. Een krom kereltje met een knijpbrilletje en een lange, droevige sliertsnor.
'Uw trieste dagen zijn voorbij,' verkondigde ik. 'Want u, en niemand anders, gaat ze maken en verkopen.'
'Wat ga ik maken?' vroeg het mannetje. 'Wat ga ik verkopen?'
'De gloednieuwe FalCostuums,' zei ik en ik liet hem mijn tekeningen zien. Hij bekeek ze vol belangstelling en schudde het hoofd.
'Dit ga ik niet voor u maken, meneer,' mompelde hij. 'Ik ben een eerlijk vakman en ik maak goede spullen. Terwijl dit...' Hij prikte met zijn vinger op de tekening. 'Dit is rommel. In deze broek zult u nauwelijks kunnen lopen. En zulke okselstukken...' (hij prikte weer) 'die scheuren na een week al uit, meneer. En deze knoopjes...' (prik, prik, prik) 'zult u nooit dicht kunnen krijgen. Zo zult u kou vatten. Nee, dit wordt niks.'
'Wat,' vroeg ik, 'is het duurste soort doek, dat er in Duim te krijgen is?'
'Pinker zomerzijde, hoezo?'

'U gaat deze FalCostuums maken. Van Pinker zomerzijde. En u gaat ze verkopen, voor waanzinnig veel poen. In een nieuwe winkel, in de duurste winkelstraat van de wijk.

Die straat was eigenlijk een plein
en heette het Plein van de Glorieuze Overwinning.
Niemand wist, ter ere van welke overwinning
het zo genoemd was. Geen mens kon zich ook maar
één overwinning van de baron herinneren,
en evenmin van zijn vader, zijn grootvader of welk familielid
dan ook. Daarom waren er mensen die zeiden dat het plein zo
heette vanwege de glorieuze overwinning van de fantasie
op de werkelijkheid. En een beetje gelijk hadden ze wel,
want de baron deed de hele dag weinig anders dan
fantaseren over de veldslagen die hij had kunnen winnen,
als hij er maar aan had meegedaan.

'U zult zien dat het een succes wordt,' zei ik.
'Vergeet het maar,' zei het mannetje.
'Ik zal u er goed voor betalen,' zei ik. Tegelijkertijd schoof ik een beurs vol met goudstukken naar hem toe. De eerlijke kleermaker staarde met uitpuilende ogen naar het geld - meer dan hij van z'n leven ooit gezien had - en keek z'n armetierige winkeltje nog eens rond.
'Goed,' zei hij. 'Ik doe het.'
Ik wapperde achteloos met een contractje. 'Als ik u moet betalen, is de hele winst natuurlijk voor mij...'

'Best,' zuchtte het kleermakertje, en hij tekende het contract. Mooi zo, dacht ik, en tevreden liep ik het winkeltje uit. Ik wachtte een maand. Daarna besloot ik de kleermaker te gaan bezoeken, in zijn nieuwe winkel.
Dat was makkelijker gedacht dan gedaan.
Het hele plein stond vol met koetsen, paarden, koetsiers en lakeien. Ik worstelde mij erdoorheen en kwam bij een grote, grote menigte van rijke stinkerds. Ze stonden elkaar vreselijk te duwen, met hun ellebogen, en ze trokken elkaar aan de haren en beten elkaar zelfs in de oren.
'Pardon,' zei ik tegen een deftige dame. 'Mag ik misschien een momentje van uw tijd? Zou u mij kunnen zeggen wat er hier aan de hand is?'
'Achter aansluiten,' siste ze, en intussen plantte ze haar elleboog in de pens van een dikke patser.
'Achter aansluiten?' vroeg ik. 'Waar achteraan?'
'Achter aan de rij,' snauwde ze, en ze schopte een oude edelman tegen de schenen.
Rij? Ik zag helemaal geen rij. Ik zag alleen een grote kluwen worstelende rijkaards. 'Wat voor een rij bedoelt u precies?' vroeg ik.
De dame keek me verbijsterd aan. Zo verbaasd dat ze helemaal vergat te vechten. De patser en de edelman maakten meteen gebruik van haar onoplettendheid, pakten haar bij kraag en kont en smeten haar de menigte uit.
'Oh nee!' jammerde de deftige dame. 'Nu sta ik weer achteraan! Zo krijg ik nooit zo'n mooi FalCostuum!'
Nu pas begreep ik dat al deze mensen probeerden de winkel binnen te komen. De nieuwe winkel van de kleermaker, waar mijn FalCostuums werden verkocht.
Dat wilde ik van dichtbij zien! Ik stroopte mijn mouwen op en stortte me in het gewoel.

14 veertiende hoofdstuk **waarin ik stinkend rijk word**

Ik was veel kleiner dan de ruziënde rijkaards. Ik kon makkelijk tussen hun benen door glippen. Bovendien was ik dan wel heel beleefd geworden, maar ik kon nog steeds heel onbeleefd zijn, als ik wilde. Ik schopte en stompte de rijkelui op de pijnlijkste plekjes die ik maar verzinnen kon. Vliegensvlug stond ik vooraan. Met mijn neus tegen een deur met gouden letters erop. Er stond:

KOOPT HIER
DE ENIGE ECHTE
FALCOSTUUMS

Achter de deur stond het schrale kleermakertje. Hij herkende mij meteen en wenkte me naar binnen. Er was een wilde blik in zijn ogen. Zijn handen maaiden door het weinige haar op zijn hoofd.
'Het is ongelooflijk,' hijgde hij. 'Die pakken! Iedereen wil ze hebben! Ik... Het is rommel, maar...' Hij barstte uit in bitter gesnik. 'Mijn hele leven heb ik de mensen mooie, stevige pakken verkocht. Niemand wilde ze hebben, ook al vroeg ik weinig geld. En nu verkoop ik lelijke, dure rommel. Ach, ik ben wel diep gezonken!'
'Kom kom,' troostte ik, 'op dat soort kleinigheden moet je niet letten, anders wordt alles ingewikkeld. Denk liever aan de winst!'
'Ach ja,' zuchtte het mannetje, 'de winst. U komt zeker uw geld halen, hè? Hm. Dan hebben we een probleem.'
'Probleem?' fronste ik.
'Ja. Het probleem is: u bent vergeten een kruiwagen mee te nemen.' Hij nam me mee naar een achterkamertje, want daar was de winst zolang neergelegd. Of zeg maar liever: opgehoopt. Een gigantische geldberg was het, half zo hoog als mijn hoofd. Allemaal gouden munten, er zat geen stukje zilver bij, nog niet het kleinste kriebeltje koper. Ik kon het nauwelijks geloven, zoveel poen bij elkaar. Zwijgend zakte ik op mijn knieën en ik liet het goud door mijn handen glijden.
'Tja,' zei het kleermakertje mismoedig. 'Véél is het wel. Maar zullen we er gelukkig van worden? Van geld, verdiend met halve oplichterij?'
'Reken maar,' fluisterde ik. 'Dolgelukkig! Ik in ieder geval wel.'
En zo was het ook.

Veel mensen denken, dat je van geld niet gelukkig wordt.
Anderen lijkt het juist fijn om rijk te zijn.
De geleerde Aegolius besloot om die ruzie
voor eens en voor altijd op te lossen,
en daarom vond hij een apparaatje uit.
Hij noemde het: de geluk-o-graaf.
Als je de geluk-o-graaf op je hoofd zette
kwam er een briefje uit, waarop stond wat je nodig had
om gelukkig te worden.
Aegolius deed daarmee de volgende,
opmerkelijke ontdekking.
Van elke honderd mensen zijn er tien,
die alleen gelukkig kunnen worden
als ze veel geld hebben (bij die groep hoor ik).
Ook zijn er tien, die alleen gelukkig zijn
wanneer ze weinig hebben. De tachtig die overblijven,
zijn geboren zuurpruimen, die altijd ontevreden blijven,
wat ze ook proberen.

Iedere week kwamen er twee volle kruiwagens met goud naar het paleis; allemaal winst van de FalCostuums. Ik moest een speciale kamer in het paleis leeg laten ruimen, om al die poen te bewaren. Pas na twee jaren werden de FalCostuums wat minder populair. Daarom ontwierp ik een nieuw pak, geheel gemaakt van spinrag dat door knappe jonge maagdjes werd verzameld in de bergen van Ringvinger. Van dat spinrag werd een stof geweven die twee keer zo duur was als Pinker zomerzijde. De nieuwe FalCostuums gingen na twee dagen al kapot en ze waren zo dun, dat je net zo goed in je blootje kon lopen. Ze werden, je raadt het al, krankzinnig populair. Elke week kreeg ik drie kruiwagens met geld, drie jaar lang. Daarna ontwierp ik pakken van zuiver goud. Die zaten ontzettend krap, en wie ze aantrok kon geen vinger meer verroeren maar moest zich door twee lakeien laten rondrijden, op een karretje. Ze waren zo gemaakt dat je ze alleen maar aan kon trekken, uittrekken dat kon domweg niet. Wie zich uit wilde kleden moest zijn lakeien vragen het goud te verbrijzelen, tot het in onbruikbare hompjes op de grond lag. Een gouden FalCostuum kon je maar één keer dragen. Zelfs meester Aegolius kon geen kostuum verzinnen dat duurder of onhandiger was. Het was de perfecte mode.

Over meester Aegolius gesproken: ik deed hem regelmatig een FalCostuum cadeau. Dat vond hij prachtig, de oude ijdeltuit. Elke week ging hij naar een groot feest, of wandelen in een druk park, zodat veel mensen hem zagen. Dan trok hij een FalCostuum aan en hij liet zich erin rondrijden alsof het de normaalste zaak van de wereld was.

'Ach,' zeiden de freules van feesten en parken, 'daar gaat de geleerde Aegolius. En hij heeft alweer een nieuw FalCostuum aan. Wat een stijl! Wat een gratie! Wat een goede smaak heeft die man!' Dat zeiden ze, maar ze bedoelden eigenlijk: wat een hoop geld heeft die man. Maar zoiets zegt een freule niet. Zoiets zegt alleen het gewone volk. Een freule spreekt de waarheid niet. Een freule kirt. Naar Aegolius kirden ze, giechelend en wimperknipperend en mondjestuitend, en Aegolius knipoogde.

Maar het gewone volk, dat kirde niet. En hun mondjes tuitten ze ook niet. Ze morden en gromden: 'Daar gaat de geleerde Aegolius.'

'Die wij betalen! Van onze belastingcenten!'
'Kijk, hij heeft alweer een nieuw pak.'
'Van zuiver goud.'
'Van onze belastingcenten!'
Ja, morren en grommen, dat deed het volk, zo luid dat ze tot in het paleis te horen waren. Het klonk als rabarber-rabarber-rabarber, maar dat zeiden ze niet, ze zeiden belasting-belasting-belasting. En op een behoorlijk boze toon. Mijn ouders spraken er vaak over, met bezorgde stemmen, maar ik hoorde het niet. Ik dacht alleen maar aan mijn handel.
De hoeveelheden goud die ik daarmee verdiende, waren onbeschrijflijk. Ik hield domweg op de kruiwagens te tellen, die er elke week werden afgeleverd. De poen paste niet meer in het paleis, op 't laatst. Ik liet het op een hoop gooien in de tuin. Uitgeven ging niet, dat kon je in je eentje niet aan.
Ik hield jachtpartijen waarvoor ik honderden fazanten liet vetmesten. Ik gaf dure feesten voor duizenden gasten. Ik kocht schilderijen en standbeelden van beroemde kunstenaars. Ja, ik deed wat ik kon, maar de geldberg werd alleen maar hoger.
Uiteindelijk ging ik naar mijn vader en zei: 'Baron, ik heb geld over.'
'Dat,' antwoordde mijn vader. 'Heb ik gemerkt.'

Ik heb al eerder verteld dat mensen van adel niet graag praten over geld. Maar toen ben ik vergeten te zeggen, waaróm ze daar zo'n hekel aan hebben.

Ze vinden het nogal ordinair.
Want gewone mensen praten vaak over geld:
ze vinden de belasting te hoog of de spullen te duur,
of ze hebben een loterij gewonnen of zo.
Gewone mensen vinden dat interessant.
Adellijke mensen ook, maar ze doen van niet,
want ze willen niet op gewone mensen lijken.
Mijn vader had me dus nooit gevraagd
waar al dat geld vandaan kwam.
Terwijl het hem waarachtig toch wel eens opgevallen moet zijn,
dat je in de gangen van het paleis tot aan je knieën door de goudstukken moest baggeren.

'Al dat goud,' ging ik verder, 'ligt daar maar in de tuin, de azalea's te verstikken, en zelfs de klimop begint in 't gedrang te komen. Weet u misschien een manier om het allemaal op te krijgen?'
'Dat,' zei mijn vader weer. 'Komt goed uit. Het volk. Moppert en mort. Over de belasting. Maar die. Kan nu omlaag.'
Onmiddellijk liet hij zijn herauten bij zich komen. Die kregen de opdracht om overal in de wijk om te roepen dat de belastingen voorlopig werden afgeschaft.
'Voor tenminste. Twee jaar,' zei de baron. 'Daarna zien we. Wel weer verder.'
De herauten keken elkaar aan. Hadden ze dit wel goed gehoord? Al jaren lang waren ze erop uitgestuurd om de mensen te vertellen dat de belasting omhoog ging. Iedereen had een hekel aan hen, want het was altijd slecht nieuws, als de herauten kwamen.
'Geen belastingen meer?' vroeg de oudste heraut voorzichtig. 'Weet u dat heel zeker, meneer de baron?'
'Heel zeker,' baste mijn vader.

De herauten keken elkaar opgetogen aan, want ze hielden van goed nieuws. Wie weet gingen de mensen hen nu weer aardig vinden! Haastig holden ze naar buiten, met hun trompetten onder de arm. 'Goed nieuws,' juichten ze, 'goed nieuws! Eindelijk! Hoera!' Ze verdwenen de stad in en verkondigden hun boodschap door de hele wijk.
Het volk was dolblij. Hun gejuich was tot in het paleis te horen. Vreemd genoeg klonk het precies hetzelfde als eerst, rabarber-rabarber-rabarber, maar dit keer zeiden de mensen fantastisch-fantastisch-fantastisch. Ze begonnen ter plekke te feesten en daar gingen ze een hele week mee door. Met elke avond vuurwerk.
Aan het eind van die week kwam de geleerde Aegolius naar mij toe.
'Jongeheer Falco,' zei hij vanaf zijn karretje, 'ik ben trots op u. Dit was een zeer verstandige beslissing. Bovendien hebt u laten zien dat u houdt van uw volk, en dat is heel belangrijk voor iemand, die later baron zal worden.'

Terzijde

De geleerde Aegolius was wel slim,
maar dit had hij verkeerd begrepen.
Het volk kon mij geen ene lor schelen.
Het was niet om het volk te helpen,
dat ik het geld aan mijn vader had gegeven,
maar omdat al die poen gewoon in de weg lag.

‘Ik zou u wel willen omhelzen,’ zei de geleerde plechtig. ‘Of u de hand schudden. Dat gaat helaas niet, want ik heb een FalCostuum aan. Ook wil ik u iets vragen. En dat is: zou ik u mijn vriend mogen noemen, en voortaan “je” tegen u zeggen?’
Als het hele paleis rondom ons was ingestort, was ik niet zo verbijsterd geweest als nu. Ik gaapte mijn leraar aan, zo blij dat ik niet wist wat ik moest zeggen. Of moest doen. Het enige, wat er aan mij bewoog, waren de gelukstranen die langzaam over mijn wangen stroomden. Mijn diepste wens was in vervulling gegaan.
In mijn lange leven heb ik ontelbaar veel vrienden leren kennen, maar op geen ervan ben ik zo gesteld geweest als op de geleerde Aegolius. Of het zou Ekster moeten zijn. Maar die dappere, trouwe vriend had ik helaas achter moeten laten bij de afschuwelijke Jynx. Des te blijer was ik dat ik nu opnieuw zo’n waardevolle vriend had gevonden.
Helaas was mijn vreugde maar van korte duur. Want korte tijd later gebeurden er enkele afschuwelijke dingen, die mijn leven voor altijd zouden veranderen.

15 *vijftiende hoofdstuk* **waarin ik een halve wees word**

Het gebeurde op een avond dat ik met mijn ouders aan tafel zat. We aten maar een simpele hap, niet meer dan zeven gangen. Kwartelsoep, gebraden fazant, gevulde pauw, gestampte musjes - dat soort spul. We hadden geen gasten, en er waren maar zes lakeien om ons te bedienen. Een buitengewoon rustig dineetje, voor ons doen.

'Gezellig, hè,' zei de barones, 'gewoon wij drietjes en verder niemand.' Een van de zes lakeien kuchte zachtjes, maar mijn moeder leek hem niet te horen. 'Je zult je wel afvragen,' ging ze verder, 'waarom het vanavond zo stil is. Misschien denk je wel dat wij iets met je willen bespreken.'

Dat was nog niet bij me opgekomen, maar ik zei heel beleefd: 'Ja, inderdaad, moeder, dat is precies wat ik dacht. Wat kent u mij toch goed.'

De barones glom van genoegen. 'Natuurlijk ken ik jou,' zei ze, 'jij bent toch immers mijn eigen troetelkontje? En je bent een slim troetelkontje, hoor, want je had het goed gezien. Je vader en ik willen inderdaad wat met je bespreken.'

'Hrum,' zei de baron.

'Zo is dat,' zei de barones. 'Wat we willen weten is: hoe kom je toch aan al dat geld?'

Aha! Daarom hadden mijn ouders geen gasten uitgenodigd: niemand mocht weten dat ze wel eens over geld spraken.

'Weet je,' ging mijn moeder verder, 'de laatste jaren staan er veel berichten over diefstal in de krant. En nu dachten we: ons arme troetelkontje heeft zo lang bij een dievenbende gewoond - misschien kan hij het stelen niet laten. Kortom,

we vragen ons af: ben jij misschien een dief?'
'Nee hoor,' antwoordde ik naar waarheid. 'Ik ben geen dief.'
'Je mag het best zeggen, als je er wel een bent,' drong mijn moeder aan. 'Diefstal komt in de beste families voor. In onze eigen familie, namelijk. Mijn neef, Graaf Corvus, die jat als de raven! Telkens als hij op bezoek is, verdwijnt er zilveren bestek. En ken je Sir Edward, de Edele Inbreker? Geen familie van ons, maar hij is van keurige komaf, en een wereldberoemde dief. Ik wil maar zeggen: we zijn heus niet kwaad, als je af en toe een beetje steelt.'
'Maar dat doe ik niet,' hield ik vol.
De barones ging door, alsof ze me niet gehoord had. 'Er schijnt een enorm knappe dief te bestaan, tegenwoordig. De Algapper, wordt hij genoemd, want hij gapt werkelijk van alles. Kunstwerken, geld, renpaarden, de halsketting van de keizerin - terwijl ze hem om had, en op klaarlichte dag. Ja, hij steelt zelfs hele kastelen! Iedereen praat erover. Het is enorm knap gapwerk. De politie staat voor een raadsel. Zelfs de Grote Detective kan de dief niet ontmaskeren. De enige aanwijzing die hij achterlaat, is een enkele veer. Van een kraai, geloof ik. Of een specht.'
'Of misschien,' vroeg ik, 'van een... ekster?'
'Weet ik veel,' antwoordde de barones, 'ik kan dat niet onthouden. Wat weet ik nou van vogeltjes? Ik ben al blij als ik het verschil zie tussen een kip en een koe.' Ze ratelde vrolijk verder, maar ik hoorde haar niet meer. Ik dacht aan mijn vriend Ekster. Zou hij die geheimzinnige Algapper zijn? Ik was er bijna zeker van. Hij had zoveel talent voor diefstal (en geen wonder, het zat kennelijk in de familie), en dan die veren... ja, het moest haast wel Ekster zijn. Een groot geluk doorstroomde mij. Ik was heel gelukkig dat hij

zo'n succes had in zijn leven als dief. Dat had hij eigenlijk aan mij te danken, bedacht ik. Want als ik me niet had laten redden in zijn plaats, was hij geen dief geworden maar baron. En misschien had hij daar wel minder talent voor. Dat ik met list en leugens zijn plaats had ingenomen, was dus eigenlijk een goede daad van mij geweest.
'Zeg troetelkontje,' zei mijn moeder, 'luister je wel? Ik zei dus, dat we het niet erg zouden vinden, als jij die superslimme dief was. Eigenlijk zouden we best wel trots zijn. Weet je zeker dat jij hem niet bent?'
'Ja,' zei ik. 'Heel zeker.'
'Maar hoe kom je dan aan al dat geld?'
'Gewoon, eerlijk verdiend,' zei ik en dat was de waarheid. Hoe kon ik zo dom zijn! Ik had moeten liegen, dan was er niks aan de hand geweest. Dan hadden mijn ouders tevreden geknikt, en hadden we verder gegeten en dan was er niks ergs gebeurd. Maar nee hoor, 'eerlijk verdiend' zei ik, en mijn vader werd knalrood van woede.
'Wat zeg je!? Me daar!?' brulde hij. 'Eerlijk verdiend!? Walge-lijk! Een baron! Verdient niet! Een baron! Heft belasting! Een baron! Is te goed! Om te werken!'
'Rustig nou, lieve,' zei de barones bezorgd. 'Niet waar de lakeien bij zijn.'
'Wat kunnen mij die lakeien schelen?' brieste mijn vader. 'Laten die lakeien naar de maan lopen!' Hij was zo ongelooflijk woest dat zijn tong met hem aan de haal ging, en zonder moeite maakte hij zinnen van meer dan drie woorden.
'Jullie horen het,' zei mijn moeder streng tegen de lakeien. 'Jullie zijn hier niet gewenst. Hup hup, naar de maan met jullie.' De lakeien bogen hun hoofden en verlieten het vertrek. Mijn moeder keek ongerust naar de baron. Adertjes

stonden kloppend op zijn knalrode voorhoofd, en spetters spuug hingen in zijn snor.
Op sussende toon zei ze: 'Ons troetelkontje heeft dat geld vast niet met werken verdiend.'
'Jawel hoor,' zei ik. (Dom, dom!) 'Ik werk als modeontwerper.'
'WAT?' tierde de baron. 'Wat is dat voor een belachelijk beroep? Ik schaam me dood. Mijn bloedeigen zoon bedenkt broeken, die wildvreemden aan hun kont kunnen doen!' De baron was nu niet rood meer, maar paars, en de ogen puilden bijna uit zijn hoofd. Schuimbekkend stond hij op de tafel te beuken. Knal, knal, knal, bij ieder woord een dreunende vuistslag, zodat het bestek op tafel rinkelde en de wijnglazen braken. 'Een baron bedenkt geen dingen!' brulde hij. 'Een baron maakt dingen dood! Had je geen jager kunnen worden, of soldaat, of moordenaar desnoods?'
'Rustig nou, lieve,' zei de barones ongerust. 'Denk aan je vader. En je opa!' Ik begreep haar bezorgdheid. De baron kwam uit een zeer gevoelige familie, en zowel zijn vader als zijn grootvader waren overleden aan hun woedeaanvallen.
'Ik doe niet rustig!' brulde de baron. 'Modeontwerper, wat een schande! Stel je voor, dat de mensen dit te weten komen!'
'De mensen weten het al,' piepte ik. 'Ik ben de beroemdste modeontwerper van Duim. Iedereen kent mijn naam.'
De baron brulde - nee, de baron brulde niets. Hij werd diep donkerpaars en zijn ogen puilden nog erger dan eerst. Uit zijn wijdopen mond kwam een heel klein geluidje. 'Iep,' deed de baron, en hij viel voorover op tafel met zijn hoofd in de kwartelsoep.
Hij was morsdood.

Terzijde

Tegenwoordig komt het niet veel meer voor,
maar vroeger gingen de mensen vaak dood aan hun gevoelens.
Je kon bijvoorbeeld doodgaan van verdriet,
schaamte of verliefdheid.
Tegenwoordig zijn de mensen verstandiger.
Ach, denken ze, nu ben ik misschien boos,
maar morgen voel ik me weer anders.
Deze gewoonte, om een beetje vooruit te denken,
heeft al talloze levens gered. Maar de baron dacht nooit ook
maar één dag vooruit. Hij dacht altijd achteruit,
het liefst een paar honderd jaar. 'Wat goed was.
Voor mijn grootvader. En zíjn grootvader.
Is goed genoeg. Voor mij,'
zei hij vaak. Nu volgde hij hun voorbeeld.
Zo zie je maar, hoe ongezond het is om ouderwets te zijn.

'Moet je nou kijken, wat je gedaan hebt,' snauwde de barones. 'Je vader is morsdood! Heb je nou je zin?'
'Nee,' zei ik zachtjes, en ik bloosde van schaamte.
Maar ik had wél mijn zin.
Want als er een baron doodgaat, moet er altijd een nieuwe komen.
En die nieuwe, dat is bijna altijd de zoon van de oude, die net gestorven is.
En de oude baron Falco had maar één zoon.
En iedereen dacht dat ik dat was.
Dus ik zou de nieuwe baron worden.

16 *zestiende hoofdstuk* **waarin ik aan het hof van de keizer ontvangen word**

In Duim is er maar één iemand die mensen tot baron kan benoemen, en dat is de keizer. Dus toen mijn vader gestorven was, moest ik op weg naar het hof van keizer Pandion de Vijfde. Dat was een hele reis, wel zes weken lang te paard en te postkoets naar het noorden. Ik nam dikke kleren mee, want de zalen van de keizer zijn koud, huiveringwekkend koud. In de tuin van zijn paleis staan beelden die niet van marmer gemaakt zijn, maar van het helderste ijs. Honderden jaren oud zijn die beelden, en in al die tijd is er nog niet één druppel van af gesmolten. De tuinen worden niet bewaakt met honden, maar met ijsberen.
Ik ging op weg met een lange stoet. Mijn trouwe vriend Aegolius reed naast mij, in een prachtige koets.

De koets van Aegolius was het allernieuwste,
meest modieuze model dat er te krijgen was.
En kennelijk geldt voor koetsen hetzelfde als voor kleren:
hoe duurder, hoe waardelozer.
Het ding was rijk versierd. Er zaten goud, zilver en edelstenen
op. Maar geen dak. Daardoor kwam Aegolius met een
longontsteking bij de keizer aan.
Bovendien ging de koets om de haverklap kapot: de wielen

vielen in stukken, de dissel brak of één van de prachtige vurige paarden viel plotseling dood neer. Als Aegolius een minder modieuze koets had gehad, waren we waarschijnlijk een week eerder bij de keizer geweest.

Ikzelf reed op mijn gitzwarte paard Gierzwaluw. Achter ons reed de koets van mijn moeder, en naast haar reed de onverbeterlijke vechtjas Hendrik Houwdegen op zijn reusachtige knol. Daarna kwamen er nog drie koetsen met lakeien.
We reden door het noorden van de stad, waar de wind door brede, verlaten straten jaagt en de huizen zo hoog zijn als bergen. Ze hebben geen ramen, die huizen, want anders zweept de wind de sneeuw naar binnen en dan bevriezen de kinderen in hun bedjes.
Het is daar zo koud dat je niet stil mag staan langs de weg, anders kunnen je paarden ter plekke doodvriezen. Of jezelf. Dat is algemeen bekend in Duim. Maar wat wij meemaakten, dat hoor je niet vaak. Het was de strengste winter sinds jaren, dus het was kouder dan normaal. Toch lag er geen sneeuw op de weg; die was weggeblazen door de verschrikkelijke wind. Onze koetsen kwamen dus zonder moeite vooruit. Behalve de modieuze wagen van Aegolius, waarvan de assen bevroren. De wielen stonden onwrikbaar stil. We moesten een vuurtje stoken en olie verwarmen in een pannetje. De hete olie goten we over de assen, en zo konden we ze ontdooien. Toch lukte het ons nog niet om te vertrekken. We zaten muurvast aan de grond. Eerst was ik bang dat onze voeten aan het wegdek waren vastgevroren, maar nee, mijn voeten kon ik gewoon optillen. Verbijsterd keek ik Aegolius aan. Die begreep ook niet wat er aan de hand was. Wij waren volkomen radeloos en onze paarden

raakten in paniek. Uiteindelijk was het de snelle, sterke Gierzwaluw die zich los wist te rukken. Hij steigerde en spartelde, snoof zijn neusgaten zo groot als braadpannen en zette zich schrap. Er klonk een gruwelijk gekraak toen hij naar voren sprong. Even waren we bang dat er allerlei stukjes paard waren achtergebleven op het wegdek, maar Gierzwaluw was nog helemaal heel. Pas toen ik nog eens extra goed keek, ontdekte ik wat er aan de hand was. Op de straat, vastgevroren aan de stenen, lag de schaduw van mijn paard.
We zaten met onze schaduwen vastgevroren aan de weg!
Gelukkig hadden we nog wat warme olie over van de assen en daarmee wreven we onze schaduwen in. Jammer genoeg zette de schaduw van Gierzwaluw, zodra ik hem had ingesmeerd, het op een galopperen. Hij verdween in zuidelijke richting en we konden hem niet meer inhalen. Pas jaren later zou ik hem, bij toeval, weer terugvinden. Tot die tijd moest Gierzwaluw het zonder schaduw stellen. Met name in zonnige streken trok hij altijd veel bekijks.
Kort na dit oponthoud kwamen we aan bij het paleis van de keizer. Al van verre hoorden we het gebrom van de ijsberen, die de keizerlijke tuinen bewaakten.

Terzijde

IJsberen zijn buitengewoon geschikt voor de bewaking. Geen boef komt erlangs. Het enige nadeel is dat ijsberen weinig belang hechten aan het verschil tussen boeven, bewakers en bezoekers. Ze eten net zo lief hun eigen oppassers op,

als inbrekers of sluipmoordenaars.
Oppasser van de keizerlijke ijsberen was dan ook
een van de minst populaire baantjes van heel Duim.

De poort van de keizerlijke tuinen was van sneeuwwit marmer. De tuinen zelf waren helemaal bedekt met sneeuw. Er was daar nog niet het kleinste sprietje groen te zien. Wel waren er veel ijsbeelden van bomen, bloemen en struiken. En van egeltjes, vogeltjes en vijvertjes met rietkragen, opspringende kikkers en fonteinen.
In de verte schitterde het keizerlijk paleis.
We waren nog geen tien meter de tuin in, toen met een woest gegrom twee reusachtige ijsberen op ons af kwamen gestormd. Ik pakte onmiddellijk mijn geweer, hoewel ik heel goed wist dat het onbeleefd is om de dieren van je gastheer in puin te schieten. Het kwam gelukkig niet op schieten aan, want een angstig, beverig stemmetje riep: 'Brutus! Killer! Af, jongens! Koest! Kom bij het baasje!' Vanachter een boom van ijs kwam een iel, huiverig mannetje tevoorschijn. Hij droeg het uniform van de berenoppassers. 'Af!' riep hij weer. 'Foei! Koest! Kom bij de baas.'
De twee witte monsters draaiden zich om en met bloeddorstige bekken renden ze op het mannetje af. Dat zette het op een hollen, bij de beesten vandaan. We hoorden hem onder het rennen roepen: 'Af! Koest! Kom niet *bij* het baasje! Weg jullie!' Vlak voordat de dieren hem te pakken kregen, hoorden we de bange stem van een andere oppasser roepen: 'Brutus! Killer! Af! Koest! Kom bij het andere baasje!'
De beren stonden even vertwijfeld om zich heen te kijken en verdwenen in de richting van de tweede oppasser.
Het eerste mannetje stond een tijdje uit te hijgen. Toen hij weer op adem was gekomen, riep hij naar ons: 'Snel, snel!

Rijd door naar het paleis! Wij houden de beren nog wel even bezig.'
Meteen gaf ik Gierzwaluw de sporen en ik stoof ervandoor. De rest van de stoet volgde mij zo snel als ze konden. Achter ons hoorden we een derde stem roepen: 'Brutus! Killer! Af! Koest! Kom bij het andere andere baasje!'
De oppassers deden hun werk uitstekend, want zonder verdere hindernissen bereikten we het paleis. Daar werden we ontvangen door een lakei in een livrei van konijnenbont. Kaarsrecht stond die lakei, en aan zijn hele livrei zat er niet één bonthaartje scheef. Hij was zeer, zeer deftig.
'Goede middag, mijne heren, wat kan ik voor u doen?' vroeg hij met een beleefde buiging. Zijn toon beviel me niet. Hij was veel te vriendelijk, zo overdreven beleefd dat het leek of hij ons voor de gek hield. Hij had een prins kunnen zijn, die zich voor de grap als lakei had verkleed en nu een troepje schurftige bedelaars welkom heette.

De lakei was net zomin een prins
als wij schurftige bedelaars waren.
Toch voelden wij ons ongemakkelijk door zijn gedrag.
Alle lakeien van de keizer zijn zo hooghartig,
ontdekte ik later. Dat moet van de keizer.
Keizer Pandion de Vijfde vindt zichzelf zo ongelooflijk
belangrijk, dat hij zelfs zijn lakeien hoger acht dan welke
edelman ook - omdat het zijn lakeien zijn.

'Ik ben jonker Falco van de Vogelwijk, de zoon van baron Falco de Twaalfde. Ik kom de keizer vragen om mij te benoemen tot de opvolger van mijn vader, die overleden is.'
De lakei boog onberispelijk. 'Wij zijn zeer vereerd met uw bezoek, jonker Falco,' zei hij, en even dacht ik dat zijn ogen twinkelden. Alsof hij zich in moest houden om niet in lachen uit te barsten. 'Zou u de goedheid willen hebben, mij te volgen? Ik zal u de gastenvertrekken wijzen. Daar kunt u bijkomen van de zware reis, terwijl ik de keizer het heugelijke nieuws van uw bezoek vertel.'
Hij ging ons voor door talloze gangen en zalen. Reusachtig groot waren die. Sommige waren zo hoog dat we het plafond nauwelijks konden zien, omdat er wolken voor hingen. Zo uitgestrekt waren die zalen, dat het ons wel een half uur kostte om er doorheen te lopen.
Het liep al tegen de avond, toen we aankwamen bij de gastenverblijven. Daar waren de kamers zo luxe ingericht, zo sjiek en deftig dat zelfs ik, de zoon van een machtige baron, de stinkend rijke modekoning van Duim, onder de indruk was. Ik wist werkelijk niet waar ik kijken moest: naar de schitterende schilderijen aan de muur of naar het behang, dat net zo kostbaar was als de duurste schilderijen die ik thuis aan de muur had. Naar de tapijten, zo zacht dat je op wolken leek te lopen, of naar de gouden hemelbedden.
'Ik hoop dat u niet beledigd bent door de eenvoud van deze kamers. Ongetwijfeld is het maar een kale bedoening, in vergelijking met de rijkdom die u thuis gewend bent,' zei de lakei, en weer leken zijn ogen te twinkelen. Gek werd ik ervan. Het liefst had ik hem op zijn uitgestreken smoel gemept.

Er is ooit een baron geweest, Otis de Onbesuisde,
die zich werkelijk niet kon inhouden.
Hij trapte een arrogante lakei tegen de schenen,
zo hard als hij kon. De lakei knikte beleefd,
alsof hij niets anders verwacht had, en hinkte weg om het
aan de keizer te vertellen. De volgende dag werd Otis
aan de ijsberen gevoerd. Sindsdien sprak men van
Otis de Opgepeuzelde.

In plaats daarvan zei ik: 'Maakt u zich maar niet ongerust, hoor, ik ben wel wat gewend. En bovendien zijn het echt heel aardige kamers. Ik kan zien, dat de keizer zijn best erop heeft gedaan.' Ik probeerde te praten alsof ik medelijden had met de zielige lakei, die in zo'n armetierige rotzooi moest rondlopen. En waarachtig, het werkte. De lakei keek me verbaasd aan.
'Eh... juist ja,' zei hij. 'Goed. Ik zal de keizer zeggen, dat u er bent.' Hij verdween. Een uur later kwam hij terug, om te vertellen dat het voor vandaag te laat was. 'Maar morgen zal het de keizer behagen, u te ontvangen.'
'Uitstekend,' zei ik. 'Tot morgen dan.'

17 *zeventiende hoofdstuk* **waarin ik baron word**

De volgende dag werd ik bij de keizer gebracht, samen met mijn vrienden en bedienden.
De troon van de keizer stond in een zaal, die alle andere overtrof. Het dak werd gedragen door duizend koperen pilaren. Bij de deur, waar we binnenkwamen, stonden lakeien die picknickmanden uitdeelden, zodat we op onze weg naar de troon een poosje konden uitrusten en een beetje eten. Dat deden we dan ook, precies halverwege de zaal, dat wil zeggen: na een wandeling van drie kwartieren. In de verte zagen we een groene schittering.
Toen we de troon bereikten, zagen we waar die schittering vandaan kwam. De zetel van de keizer was gesneden uit een reusachtige groene edelsteen. Zo hoog als een huis was de troon, en de keizer leek zo klein als een mus die boven op het dak zat. Op de grond rondom hem stonden lage krukjes. Daarop zaten zijn ministers en lakeien, en twaalf heren met schrijfgerei, die braaf noteerden wat de keizer zei.
'Goeie morgen,' riep de keizer, die erg luid moest praten omdat hij zo hoog zat. 'Wat komen jullie doen?'
'Dit is jonker Falco, majesteit,' riep een minister hem toe. 'Hij wil baron van de Vogelwijk worden, net als zijn vader.'
'Oh ja?' galmde de keizer met een frons. 'Ik vind het best hoor, maar zou dat geen ruzie geven? Twee baronnen in één wijk? Vader en zoon?'
'U begrijpt mij verkeerd, majesteit. De vader is reeds overleden.'
'Oh, gelukkig maar,' zei de keizer, die het nu weer snapte.

'Nou, dan vind ik het best hoor. Word jij maar lekker baron, knul.'
'Hoho,' riep een andere minister. 'Dat gaat zomaar niet! Daar zijn regels voor. Hele oude regels, waar we ons aan moeten houden.'
'Ach! Is 't werkelijk?' vroeg de keizer geïnteresseerd. 'Wat fijn toch, dat jullie dat soort dingen allemaal weten. Nou, ministertjes, zeg het maar. Wat zijn de regels?'

Wie dit leest, zou kunnen denken dat keizer Pandion een volslagen idioot was. Dat was hij ook. Het zat bij hem in de familie; zijn vader, Pandion de Vierde, was nog veel erger geweest. Die kon niet eens lezen. Behalve de letter P, want dat was de eerste letter van zijn eigen naam en daarmee ondertekende hij alle belangrijke papieren. Ook kon hij zijn plas niet ophouden; als je goed keek, kon je op de troon nog altijd gele vlekken zien. Ja, het was een familie van zwakzinnigen die Duim regeerde. Sommige keizerrijken hebben gewoon pech. Gelukkig hebben we goede ministers.

De oudste van alle ministers schraapte zijn keel en mummelde: 'Ten eerste moet de aanstaande baron trouw zweren aan de keizer, en ten tweede moet hij een dappere daad verrichten.'

'Wie, ik?' vroeg de keizer ongerust. 'Moet ik een dappere...'
'Nee majesteit, de aanstaande baron. Die moet dat.'
'Oh, gelukkig maar. Prima prima. Ik zeg zelfs meer, ik zeg: excellent. Wat een heerlijk woord is dat toch: excellent. Is 't geen heerlijk woord, ministers?'
'Jawel, majesteit,' blaatten de ministers. 'Zullen we beginnen? De jonker moet u trouw zweren.'
'Oh ja. Doe dat maar eens, jonker.'
Plechtig stak ik mijn rechterhand op. 'U, keizer Pandion de Vijfde,' dreunde ik, 'ben ik meer dank verschuldigd dan mijn eigen ouders. U bent wijs, welwillend en oppermachtig. Al het goede in Duim gebeurt dankzij u. Ik ben uw nederige dienaar, daarom zweer ik u trouw tot aan de dood.'
'Klinkt goed,' zei de keizer. 'Wat vinden we d'r van, ministers? Is dit wat?'
'Dit is een prachtige eed, majesteit,' zeiden de ministers. 'Beter kan niet. Zéér beleefd. Die jonker weet buitengewoon goed hoe het hoort.'
Naast me stond Aegolius te glimmen van trots. Hij wilde iets zeggen, maar barstte los in een gruwelijk gehoest. Kwam door de longontsteking, die hij had opgelopen in zijn open koets.
'Gezondheid, kerel,' zei de keizer minzaam. Daarna keek hij weer naar mij. 'Nou, je hoort het, beste knul, die eed zit wel snor. En dan nu de dappere daad.'
'Mag ik een voorstel doen, majesteit?' vroeg een kale minister met een gierenhals. 'Ik stel voor dat de opdracht moet luiden: breng mij drie kisten met goud!'
'Wat flauw,' mokte de keizer. 'Dat kan iedereen, die een beetje poen heeft. Daar is niks dappers aan.'
'Zo is nou eenmaal de gewoonte, majesteit. Bovendien is de schatkist leeg.'

Terzijde

De regel over de dappere daad komt uit de tijd dat de titel van baron als beloning aan de allerdapperste ridders werd gegeven, als ze bijvoorbeeld een draak hadden verslagen. Dergelijke helden bestaan niet meer; draken trouwens ook niet.
Daarom hoeven de daden tegenwoordig niet echt dapper meer te zijn.
Het is weinig meer dan een oud gebruik, een nutteloos overblijfsel uit de oude tijd.
Net als de keizerlijke familie, eigenlijk.

'Puh,' zei de keizer. Hij zat te pruilen als een peuter. Ik had een beetje met hem te doen, zoals hij daar dag in dag uit op zijn troon moest zitten, zonder ooit een pleziertje. Hij leek me iemand die veel liever buiten zou spelen, sneeuwballen gooien of sneeuwpoppen maken. Deze ijskoude zaal waar hij de hele dag moest luisteren naar zijn ministers, die veel slimmer waren dan hij zodat hij nooit begreep waar ze het over hadden - nee, deze zaal was geen goede plek voor hem. Ik wilde graag wat vrolijkheid in zijn leven brengen.
Bovendien begon ik last te krijgen van mijn aangeboren moed en mijn eerzucht. Een dappere daad, dat was nou net iets voor mij. Dan kon iedereen zien hoe bijzonder ik was. Dat beviel me wel.
Dus ik zei: 'Majesteit, u heeft gelijk. Een baron zonder dappere daad stelt niets voor. Dat is een nul. Een nitwit. Een prutser. Zo'n baron wil ik niet worden. Dus ik zou zeggen: maak het maar lekker moeilijk.'

'Ja maar de schatkist...' begon de gierige minister.
'Oh, dat goud krijgt u ook wel, hoor,' stelde ik hem gerust. 'Weet u wat? We maken er zes kisten van. In plaats van drie. Maar eerst mijn dappere daad.'
'Geweldig,' zei de keizer. 'Jij bent een baron naar mijn hart. Ga jij maar eens lekker vechten met een ijsbeer. Met je blote handen. Zulke enge beesten, ijsberen, huu! Jij liever dan ik! Nou, zet 'm op.'
'Het zal mij een genoegen zijn,' zei ik met een buiging.
De allergrootste en allergemeenste van alle keizerlijke ijsberen werd gehaald. Dit monster at niet alleen oppassers op - het at zelfs andere ijsberen op, soms wel twee of drie per dag. Zijn tanden waren sabels. Zijn grom rolde als het razen van een storm. Zijn muil was een poort naar de hel.
'Dat is 'n stevige jongen,' zei ik. 'Laat 'm maar los. Ik heb er zin in.'
Dat laatste was niet helemaal waar. Eerlijk gezegd kreeg ik 't een beetje benauwd, want ik had geen idee hoe ik dit monster van me af kon slaan. Als ik tijd genoeg had gehad om na te denken had ik ongetwijfeld een sluwe berenval uitgevonden. Maar tijd had ik niet, want het ondier kwam in vliegende vaart op me af.
Ik rende zo hard als ik kon. Maar een ijsbeer rent veel harder dan een mens. Bovendien was dit niet bepaald een goede manier om te laten zien hoe dapper ik was. Koortsachtig probeerde ik na te denken, terwijl ik zigzaggend tussen de duizend koperen pilaren door rende.
Het monster was al vlakbij. De stinkende dampen, die het beest uitademde, hingen als een mistbank om me heen. Ik keek over mijn schouder en zag, vlak achter me, zijn tanden door de mist heen blikkeren. Zijn bloeddoorlopen ogen glommen.

Zijn ogen! Ik had een idee!
Ik spoog. Ik spoog een grotere klodder dan ik ooit naar Meester Draaihals gespogen had. Bovendien spoog ik harder. En nauwkeuriger. In het linkeroog spoog ik, en het was in die zaal zo vreselijk koud dat mijn spuug in de lucht bevroor en als een kogel van ijs op het ondier afvloog.
Pats! Het oog vloog er in één keer uit. Mijn bevroren klodder kwam ervoor in de plaats en bleef zitten in de kop, glanzend en wit. De ijsbeer brulde van pijn. Maar hij gaf het niet op; hij werd alleen maar woester.
Ik spoog nog eens. Pats! Daar ging zijn rechteroog. Het beest was op slag blind. Maar het bleef achter me aankomen.
Want ijsberen kunnen heel goed ruiken.
Luid snorkend en snuffelend rende de beer achter me aan. De vloer dreunde ervan. In zijn woede rende het beest harder dan het snelste renpaard.
En ik? Ik kon niet meer. Uitgeput hing ik hijgend tegen een pilaar. Ik kon niets anders doen dan puffen, terwijl de beer op volle snelheid op me af kwam gestormd. Met mijn laatste krachten sprong ik opzij, vlak voor de gruwelijke tanden mijn gezicht raakten.
De ijsbeer kon niet meer stoppen of keren. Bovendien kon hij de koperen pilaar, waar ik tegenaan had geleund, niet zien. Hij wist niet eens dat er een reden was om te stoppen of te keren. Dus hij rende door.
Er klonk een keiharde, doffe dreun en een afschuwelijk, splinterend gekraak. Dat was de kop van de beer, dacht ik. Maar het was geen kop, het was koper: de beer was dwars door de koperen pilaar heen gerend. Het beest had geen schram. Hij schudde zijn kop, en was klaar om weer op me af te stormen.

Blijven proberen, besloot ik, en ik ging snel weer bij een pilaar staan.
De beer rende er weer dwars doorheen.
Er moet toch ooit een pilaar komen, die steviger is dan dat beest, dacht ik. En ik probeerde het nog eens. En nog eens.
Tweehonderd keer. Tweehonderd pilaren werden door de beer gesloopt, en hij zag eruit alsof hij er nog tweehonderd bij had kunnen doen.
Maar die pilaren stonden daar niet voor niets. Die stonden daar om het dak omhoog te houden. Dus zonder pilaren...
Krak, zei het dak, en het viel neer op de beer.
Die eindelijk, eindelijk, bezweek en stierf.
'Nou majesteit,' zei ik tegen de keizer, 'het lijkt me dat de daad is verricht.' Maar hij hoorde me niet, want de halve zaal lag, ingestort, tussen ons in. Het kostte de keizerlijke lakeien drie dagen om hem uit te graven.
'Dát was nog eens lollig,' juichte de keizer toen hij onder het puin vandaan kwam. 'Nou knul, je hebt het dubbel en dwars verdiend hoor! Jij wordt baron.' Hij gaf me een deftig papier, waar het op stond, zodat ik het aan iedereen kon laten zien.
'Veel plezier ermee, knul.'
'Dank u, majesteit. Ik zal uw vertrouwen niet beschamen.'
Gloeiend van trots bekeek ik het papier. Ik had het gevoel dat mijn leven nu pas écht begon.

18 *achttiende hoofdstuk*
waarin ik beroofd word

De volgende dag werd ik vroeg en vrolijk wakker. Dit was de eerste dag van mijn bestaan als baron! Ik kon besluiten nemen, bevelen geven, belastingen heffen, alles wat ik maar wilde. Niet hier in het keizerlijk paleis, natuurlijk, maar thuis in de Vogelwijk. Daarom wilde ik zo snel mogelijk naar huis; ik had haast om te beginnen met regeren.
Na het ontbijt nam ik afscheid van keizer Pandion en ik begon met mijn vrienden en lakeien aan de lange reis naar de paleispoort en de nog langere reis naar huis. Op die reis

gebeurde er weinig bijzonders, behalve dan dat we overvallen werden door struikrovers. Het waren woeste kerels met vervaarlijke baarden, die met zijn vieren op één reusachtig paard zaten. Toevallig had ik net mijn geweer geladen, omdat ik een duif wilde schieten voor het avondeten. Ik bedacht me geen moment en ik schoot op de voorste rover. Daarna begon ik als een dolleman mijn geweer te herladen, en ik riep Hendrik toe hetzelfde te doen. Hendrik riep echter terug dat herladen nergens voor nodig was: de rovers hadden recht achter elkaar op het paard gezeten en mijn kogel was dwars door de eerste drie heengegaan om pas in het hoofd van de vierde te blijven steken. Ik had ze dus met een enkele kogel alle vier morsdood geschoten; een prestatie waar ik tamelijk trots op was.

Voor de rovers was het ook heel fijn, dat ze zo vakkundig doodgeschoten werden.
Want rovers die levend gevangen worden, moeten aan de keizerlijke ijsberen worden gevoerd.
En dat doet veel meer pijn dan doodschieten.
Hier in het noorden werd die wet streng toegepast, omdat het keizerlijke hof dichtbij was.
In meer zuidelijke wijken werden rovers ook wel eens opgehangen of gevangen gezet.
In het uiterste zuiden mogen ze gewoon hun gang gaan, zolang ze de politie een deel van de buit geven.

Verder gebeurde er weinig op mijn reis terug naar huis. Ja, de koets van Aegolius ging een paar keer kapot, maar daaraan waren we al zozeer gewend dat ik hem met mijn ogen dicht kon repareren.
Des te meer gebeurde er bij mijn terugkeer in het paleis. Het volk organiseerde een groot feest, dat een week lang duurde. Het was een feest ter ere van mij. De hele wijk werd versierd, op iedere straathoek werd muziek gemaakt en overal waren lekkere hapjes. Elke avond vuurwerk. Danseressen strooiden rozenblaadjes op de pleinen. Om het halve uur ging er een kanon af en dan riep iedereen: 'Hoera!'
Dat deden de mensen allemaal uit zichzelf, zoveel hielden ze van mij. Om hen te bedanken reed ik rond in een koets, waaruit ik net zoveel goudstukken strooide als er rozenblaadjes op de grond lagen. En dan riepen de mensen weer hoera.
Op de vijfde dag hield ik een toespraak die twaalf uur duurde. Al die tijd zat het volk aandachtig te luisteren. Ze lachten om alle grapjes die ik maakte, ze huilden toen ik vertelde over de bende van Jynx en ze juichten toen ik over mijn bevrijding vertelde. Toen ik klaar was smeekten ze of ik weer opnieuw wilde beginnen. Zo mooi vonden ze het. Ik hield de hele toespraak nog een keer, en weer kreeg ik de volle aandacht. Eigenlijk wilde iedereen mijn verhaal *nog* eens horen, maar ik was al vierentwintig uren aan het praten, en ik begon een klein beetje hees te worden.
Op de laatste avond van het feest werd er zoveel vuurwerk afgestoken, dat er een dikke wolk van kruitdamp boven de wijk kwam te hangen die pas na een week weer wegging. In de lager gelegen delen van de wijk bleef het nog drie maanden lang mistig. Het vuurwerk knalde zo verplette-

rend hard, dat de meeste mensen uit de wijk hun leven lang doof bleven. Nog steeds hoor je de mensen van Duim af en toe zeggen: 'Hij is zo doof als een Vogelwijker'. En als kinderen niet willen luisteren zeggen hun ouders: 'Kom jij uit de Vogelwijk of zo?' Gelukkig had Aegolius gezien hoeveel vuurwerk er werd rondgesjouwd, en hij had berekend hoe hard dat zou knallen. Snel vond hij extra sterke oordopjes uit en deelde die uit aan mijn vrienden, bedienden en familieleden in het paleis. Daarom ben ik die avond niet doof geworden.

Om precies te zijn: mijn gehoor is uitstekend.
Ik kan een kaars horen branden; in een stille kamer
kan ik zelfs horen hoeveel kaarsen er branden,
behalve als het er meer zijn dan tweehonderd;
dat wordt me te lawaaiig.
Mijn gehoor mag dan scherp zijn, toch heb ik eens een man
gekend, die nog beter kon horen dan ik.
Hij kon zijn oor tegen een metersdikke stenen muur leggen
en dan vertellen hoeveel kaarsen er brandden
aan de andere kant. Of hoeveel olielampen of fakkels;
dat verschil kon hij heel nauwkeurig horen.
Zijn scherpe oren kwamen hem
zeer goed van pas; hij was spion van beroep.

In de nacht na het grote vuurwerk sliep ik bijzonder goed. Ten eerste omdat ik moe was van zeven dagen feesten, ten tweede omdat niemand lawaai maakte - want waarom zou

je de moeite nemen om lawaai te maken, als iedereen stokdoof is?
Als mijn onderdanen niet allemaal doof waren geweest, of als ik iets minder vast geslapen had, dan was het niet gebeurd. Het ongelooflijke. Daar ben ik nog steeds van overtuigd. Wat er gebeurde was zo uitgebreid, en zo ingewikkeld, dat het een krankzinnige hoop herrie moet hebben gemaakt. Toch sliep ik er dwars doorheen, en niemand van mijn onderdanen heeft iets gehoord.
Wat was het dan, dat ongelooflijke?
Het was dit: terwijl ik sliep, verdween mijn paleis. En niet alleen mijn paleis, ook alles wat erin was. En iedereen die erin lag te slapen. Zelfs het park eromheen was er niet meer. Ik werd wakker van de ochtenddauw op een uitgestrekte, kale zandvlakte.
Alles weg?
Alles weg.
In één nacht?
In één enkele nacht.
Verbijsterd keek ik om me heen. Ik riep de namen van mijn moeder en de geleerde Aegolius en Hendrik Houwdegen en mijn lakeien. Geen enkel antwoord kreeg ik, behalve het fluiten van de wind. Waar was mijn paleis? Waar was mijn goud? Een half uur lang dwaalde ik rond over de verlaten grond. Nergens een spoortje van mijn vrienden, mijn huis of mijn spullen. Alleen het nachthemd waarin ik was gaan slapen, dat had ik nog aan.
Ik droom, dacht ik. Laat ik maar afwachten, dan word ik vanzelf wel wakker. Maar nadat ik nog twee uren op de barre grond had gezeten, moest ik toegeven dat dit geen droom kon zijn. Want het was verschrikkelijk saai. En ik droom nooit saai.

Ik stond op, en tijdens het opstaan voelde ik iets in mijn bil prikken. Het was een speld, die in de achterkant van mijn nachthemd zat. En ze zat er niet zomaar. Ze zat er om een briefje op zijn plaats te houden.
Dit stond erop:

Hooggeachte namaakbaron,

Je bent de ergste schurk die ik ooit gekend heb.
Erger dan meester Jynx!
Ik had baron moeten worden, jij niet!
Je hebt mijn ouders van me afgepakt.
En mijn erfenis. Hoe heb je me zo kunnen verraden?
Ik haat je voor altijd.
Denk maar niet dat je plezier zult hebben van je schurkenstreek.
Ik steel je alles af. Ik ben de Algapper, en er is niets wat ik niet stelen kan.
En denk maar niet dat je je paleis gewoon opnieuw kunt laten bouwen.
Ik zal het altijd weer stelen, net zolang tot je de moed opgeeft en als een bedelaar langs de straten zwerft voor de rest van je leven.

Je vroegere vriend, Ekster.

'Ekster!' schreeuwde ik woest, ook al wist ik dat hij me niet kon horen. 'Ellendeling! Schoft! Betekent onze oude vriendschap dan helemaal niets voor je? Dankzij mij ben je nu de Dief der Dieven, en dat was vanaf je geboorte al je lot. Dat ik voor baron in de wieg ben gelegd, kan ik daar soms wat aan doen? Bah! Miezerig mannetje!' Ik schreeuwde en tierde en vloekte tot ik geen stem meer overhad. En weer kreeg ik als antwoord enkel het fluiten van de wind. Ekster was al lang ver weg natuurlijk, met mijn paleis en alles. De hemel weet hoe hij het voor elkaar gekregen heeft.

Uiteindelijk, schor en vermoeid, begon ik te broeden op een plan. Ik zou Ekster vinden en hem in het gevang laten smijten. Daar hoorde hij thuis, ja, in de bajes bij de andere boeven. Maar in mijn eentje zou ik dat niet kunnen. Ik had hulp nodig. En er was maar één man die mij kon helpen. De Grote Detective.

Ja, ik zou de beroemdste speurder van Duim inhuren om die akelige Ekster te vinden. Vastberaden beende ik de stad in. Woede brandde in mijn hart als een vuur. Ook al had ik niets anders meer dan het nachthemd dat om mijn lijf wapperde, ik zou hem vinden. En dan zou hij ervan lusten.

Maar voor iemand zonder paard en kleren is het niet gemakkelijk reizen in Duim, en het zou heel lang duren voor ik het huis van de Grote Detective wist te bereiken. Wat ik allemaal meemaakte op mijn reis, en wat er gebeurde toen ik GD eindelijk te spreken kreeg, de eigenaardige manier waarop ik opnieuw baron werd en hoe ik mijn echte ouders terugvond - dat is een lang verhaal. Mijn keel is droog van het vertellen en mijn ogen branden van de slaap. Dus nu neem ik - voor een poosje - afscheid van mezelf. Van de man die ik vroeger was, die in zijn fladderende nachthemd de onafzienbare stad Duim in wandelde. Op weg naar de vriend die zijn vijand was.*

* *Hoe dit verder afloopt, kun je lezen in:*
'De jacht op de meesterdief'

* *(verwacht in najaar 2007)*

OPENBARE BIBLIOTHEEK
INDISCHE BUURT
Soerabajastraat 4
1095 GP AMSTERDAM
Tel. 668 15 65